KB196454

사진 그리고 이야기

한생남

더클

프롤로그

38년 11개월 동안 학생들과 함께 뒹굴고 토닥거리며 함께 성장했다. 넘어져도 다시 일어서는 들풀처럼 생기 가득한 순간들이었다. 매일매일 새롭게 변화하는 모습을 보면서 더불어 즐거워했다. 마음의 상처로 인해 방황하는 이들을 보며 안타까워하기도 했다. 하지만 방황하니까 청춘이고 실수를 통해서 성장하고 성숙해가는 것이다. 돌아보니 적당한 스트레스와 긴장감은 내 삶의 활력소였고 배움이었다. 나의 제자이면서 동시에 스승인 그들을 학생님이라 부르리라.

학습을 좋아하고
생기가 가득하니
님이라 부르리라

"평범한 스승은 말을 하고 좋은 스승은 설명을 하고, 우수한 스승은 모범을 보이고 위대한 스승은 감화를 준다." 내가 새내기 교사 시절에 시행착오를 겪으며 마음속으로 되새기던 글이다. 과연 나는 학생들을 존중하고 사랑하며 감동을 주었는가? 이 글귀를 볼 때마다 괜시리 고개가 숙여진다. 늦었지만 지금부터라도 배우는 이들을 모두 학생님이라 호칭하고 싶다. 서로 존중하고 존중받으면서 차별 없는 세상이 되길 바라는 마음이다.

그간 학생님들과 함께 3811의 첫 항해를 잘 마쳤다. 이제 두 번째 3811의 출항을 시작하려 한다. 온 교육가족이 학생을 학생님이라 부르기를 간절히 소망하며 다시 비상하기 위해 날갯 짓 해본다.

이 책은 3811동안 교직생활을 하면서 배우고 깨닫고 경험했던 순간들을 돌아본 것이다. 또한 카메라를 들고 다니며 간간히 담아놓은 사진들도 함께 선보인다. 소소하고 평범한 내용이지만 "모든 사람의 삶은 소중하다."라는 말에 힘입어 감히 용기를 낸 것이다.

지난 시절을 성찰하면서 내가 누구였는지? 주체적이고 자율적이며 능동적으로 살아왔는지? 누구와 관계를 맺어왔는지? 스스로에게 질문하는 기회가 될 것이다. 자문자답을 통해서 자신을 인격적으로 대면하고 대화하면서 부족한 삶도 돌아볼 것이다. 찬찬히 자신을 만나는 시간이야 말로 지금 나에게 가장 필요한 일이 아닐까?

지금까지 나를 이끌어준 고마운 분들이 참 많다. 다 열거할 수는 없지만 언제나 내 편인 안해와 장한아들 그리고 이쁜딸에게 먼저 고마움을 표한다. '리더스클럽' 회원들과 '시너지 책쓰기' 코치에게 최고의 찬사를 드린다. 아울러서 기꺼이 멘토를 수락해주신 500여 분에게도 상생의 기운을 보낸다. 으라차차!

소박한 이야기가 세상에 나올 수 있도록 계속 동기를 부여한 〈도서출판 더클〉의 대표도 더 활짝 피어나기를 고대한다.

2017. 3. 2

기이하고 동그랗고 환하게

contents

프롤로그 … 4

1장 언제나 시작은 아름답다

01 아름다운 전시회 … 13
02 소년원에도 학생님이 있다 … 20
03 내 인생 최고의 해 만들기 … 28
04 발명 특허 … 36
05 이색적인 명함 … 41
06 시는 내 삶의 활력소 … 47
07 우리 가족은 오케스트라 … 54

2장 문제는 해결을 위해 존재한다

01 해답이 없는 문제가 있을까? … 61
02 코골이 대처법 … 67
03 최고의 선물 … 74
04 꿈을 꾸면 이루어진다 … 80
05 약보보다 식보 … 87
06 준비하면 기회는 온다 … 95
07 건강을 부르는 긍정 습관 … 100
08 일체유심조一切唯心造 … 106

3장 도전하면 성취할 수 있다

01 불가능의 확률 … 115
02 편지 한 장의 기적 … 121
03 평생교육원장으로 새 출발 … 127
04 사진은 순간의 포착 … 134
05 여행은 걸어 다니는 독서 … 144
06 높이 날아 멀리 본 위도의 꿈나무 … 152
07 옴마니반메훔 … 161

4장 배움은 새로운 기회이다

01 적성에 맞는 진로를 찾다 … 173
02 몰라도 전문가가 될 수 있을까? … 180
03 첫 번째 독자가 되는 방법 … 186
04 받는 상보다 더 행복한 상 … 192
05 사랑·나눔·웃음꽃이 피는 황토방 … 199
06 가장 감동적인 상장 … 206
07 때밀이 봉사로 만난 인연 … 212
08 행운의 클로버와 명품자수 전시회 … 218

5장 멘토는 인생의 등불이다

01 생각을 바꾸면 새로운 길이 열린다 … 231
02 열 배 비싼 수련 도장 … 239
03 80세 어르신이 배달한 선물 … 247
04 기통氣通찬 훈장님 … 254
05 독서 모임이 희망이다 … 260
06 재미있게 살자 … 267
07 자연에게 길을 물어볼까? … 274
08 지리산에 숨어 있는 문화유산 … 282
09 인생은 걸을 수 있는 만큼만 존재한다 … 289
10 500멘토의 힘 … 294

에필로그 … 300

1장 시작은 언제나 아름답다

새로운 시작 / 정유찬

언제나 시작은 아름답습니다
무한한 가능성을 지닌
씨앗과도 같은 순간입니다

미지의 영역을 향해 닻을 올리고
벅찬 설렘으로 나아갑니다

변덕 심한 바다도, 타는 듯한 갈증도
삶을 향한 열정이 있는 한 이겨낼 것입니다

온 우주가 돕고, 신이 함께할 것입니다

결국은 이루고야 말
차신만의 사명이 있기 때문입니다

12
·
13

아름다운 전시회

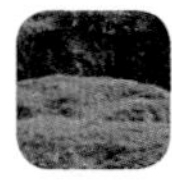

"선생님, 덕분에 빚 400만 원을 갚았습니다. 혹시 100만 원 정도 들어오면 고장 난 교육용 스크린을 교체하면 좋겠다는 생각을 했었는데, 매일 입금되는 기부액을 보고 희망을 느꼈습니다. 가뭄에 단비처럼 구세주를 만났다고 할까요. 정말 고맙습니다."

"도움이 되었다니 다행입니다. 저도 많은 분이 성원해 주셨기에 바자회를 잘 마쳤습니다. 혹시 다른 도움이 필요하시면 적극적으로 고려해보겠습니다."

〈다온복지센터〉 김미아 센터장과의 대화 내용이다.

퇴직 기념으로 희망나눔 전시회를 개최하면서부터 센터장님과의 인연이 시작되었다. 나는 '희망과 나눔'을 실천하기 위하여 그간 소장해온 105점의 작품을 전시했다. 방문객들이 마음에 드는 작품이 있으면 한 작품씩 가져가고, 대신에 각자가 알고 있는 기관이나 시설에 소정의 금액을 기부하는 방식이다. 알고 있는 기관이나 시설이 없는 경우에는 〈다온복지센터〉를 소개했다. 이틀 만에 거의 모든 작품이 판매될 정도로 기대 이상의 성과를 거두었다. 이틀째 되는 날 오후에 참석한 한 분은 "많은 전시회에 가보았지만 이렇게 대부분 작품이 거의 매진된 것은 처음 본다"라고 했다. 다온복지센터에 기부한 금액은 모두 합해서 900만 원 정도 되었다. 나눔 전시회를 개최한 보람을 느꼈고, 다소나마 센터에 도움이 될 수 있어서 뿌듯했다.

다온복지센터를 10년째 운영해온 김미아 센터장은 2007년부터 장애인들의 자활능력을 키우기 위하여 한결같이 센터를 이끌어 가고 있는 훌륭한 여성이다. 최근 우연히 진료를 받다가 이전에 삽입한 인공관절이 닳아서 다시 교체했다는 말을 들었다. 활동을 워낙 열심히 한 탓에 재수술을 하게 된 것이다. 불편한 몸인데도 불구하고, 자신의 몸을 아끼지 않고 혼신의 노력을 다하고 있는 그녀에게 격려의 박수를 보낸다. 지금까지 자신을 위한 휴가를 한 번도 간 적이 없다는 김 센터장이다. 장애인의 희망과 같은 그녀는 한국의 테레사이다.

건강한 몸으로도 하기 힘든 일을 혼자서 외롭게 짊어지고 가는 그녀를 만난 것이 내게는 큰 자극제가 되었다. 그녀에게 신의 가호가 있기를 바라며 넘치는 에너지를 갖고 건강하게 살아가길 기원한다.

내가 아직도 활동할 수 있는 신체와 정신을 가졌음에 감사하며, 내 능력을 발휘할 수 있는 일을 찾아서 항상 낮은 자세로 새 출발하리라 생각한다.

학생님

소년원에도 학생님이 있다

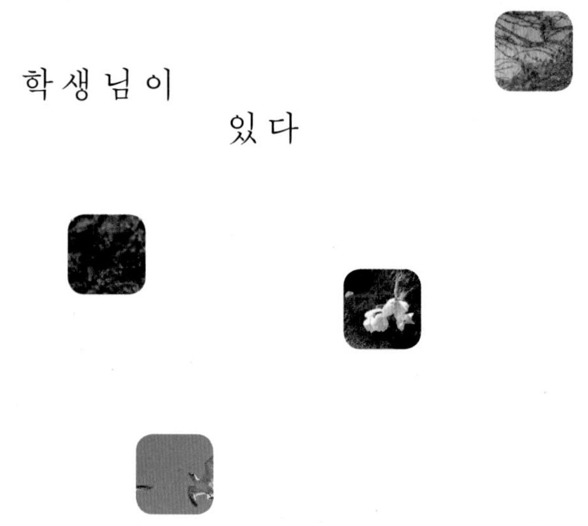

연말에 정년을 맞이하는 직원이 있다. 연금액이 생각보다 적다고 하기에, 그렇다면 공무원연금공단에 가서 확인해보자고 제안했다. 함께 방문해서 그가 상담하고 있는 동안에 나는 연금공단의 자원봉사 사업에 관해 물어보았다. 자원봉사 활동으로 어르신 대상 문해 교육, 장기입원환자 말벗 도우미, 전주소년원 검정고시생 학습지도, 다문화 결혼이주여성을 대상으로 하는 한국어 지도, 그리고 도서관 업무보조 등의 사업이 있었다.

그중에서 특히 소년원에서 영어 교육을 담당할 수 있는 봉사 인력이 필요함을 강조했다. 그 말을 듣고서 나는 생각해 보겠노라고 하고 돌아왔다. 소년원에는 순간의 잘못이나 실수로 잠시 격리되어 있는 청소년들이 있다. 이 아이들이 올곧게 성장해야 우리 자녀들과 이웃들이 안심하고 생활할 수 있을 것이고, 사회도 좀 더 밝아질 것이다. 결국 참여해야겠다는 결정을 했다. 마음이 바뀔까 봐 바로 소년원에 연락했더니 중학교 3학년을 담당해야 하고 인원 수는 15명 정도라고 한다.

9월 7일, 첫 출근하는 날이다. 그곳의 환경은 어떠할까? 어떤 아이들이 있을까? 설레는 마음과 궁금증을 안고 소년원에 도착했다.

정문에서부터 경비가 삼엄했다. 신분증을 제시하며 용건을 말하자 통과시켜 주었다. 제한적으로 통제를 받는 곳임을 알 수 있었다. 철책이 처진 높은 담, 건물을 통과할 때는 담당자가 동행하며 지문 인식으로 신원이 확인되어야 출입할 수 있는 곳이다.

교실에 들어갔다. 13년 6개월 만에 다시 교사로 돌아가는 순간이었다. 몇 명은 팔에 문신을 했지만, 일반 학생들과 크게 다르지 않았다. 먼저 이름 소개를 위해 삼행시로 퀴즈를 냈다. 기이하고 동그랗고 환한 것은 무엇인가? 대

답으로 얼굴, 달, 해 등이 나왔다. 태양이라고 답을 알려 주었다. 그리고 “해처럼 여러분들의 마음을 환하게 비춰줄 기동환입니다”라고 했다. 첫날이라 가볍게 몸을 푸는 운동을 먼저하고 수업을 시작했다. 영어문장 중에서 감동을 주는 내용을 골라서 이야기를 나누고 영어공부는 조금만 진행 했다. 공부보다는 하고자 하는 의욕을 불러일으키고, 새롭게 시작할 수 있는 마음가짐을 갖게 하는 것이 중요할 것으로 판단했기 때문이다.

끝으로 꿈에 대해서 발표하게 했다. 한 학생이 대통령이 되겠다고 하자 야유가 쏟아졌다. 나는 아이들에게 말했다.

“여러분 모두는 개성을 가진 소중한 인재들입니다. 친구가 어떤 말을 하든지 끝까지 경청해야 하고, 그의 말을 존중해야 합니다. 존중해야 존중받는 것입니다.”

또 한 학생이 머뭇거리다가 대답했다.

“깡패가 되고 싶습니다.”

학생 중에서 가장 덩치가 커 보였고 가장 고참인 듯했다. 매스컴에서 가끔 조직폭력배들의 모습이 나온다. 보스에게 90도 각도로 절을 하면서 활개 치는 장면이다. 청소년들에게는 이것이 멋있게 보였을 수도 있다. 나는 다시 덧붙였다.

"우리는 무엇이든지 꿈꿀 수 있고 가능성도 있습니다. 하지만 어떻게 사는 것이 사회에 도움이 될지 생각해본 뒤에 발표하면 더 좋지 않을까?"

매스컴이 청소년들에게 지대한 영향을 미치기 때문에 방영에 신중해야 함을 재확인하게 되었다. 미래 사회의 기둥이고 보배인 청소년에게 좋은 것만 보고, 듣고, 생각하고, 느끼게 해야 한다. 청소년들의 심신이 건강하고 튼튼하게 자랄 수 있도록 온 마을 사람들이 나서서 좋은 환경을 조성하는 데 총력을 기울여야 할 때이다. 홍익인간의 정신을 가진 학생님이 늘어나는 희망찬 미래를 꿈꾼다.

학생님

학생님

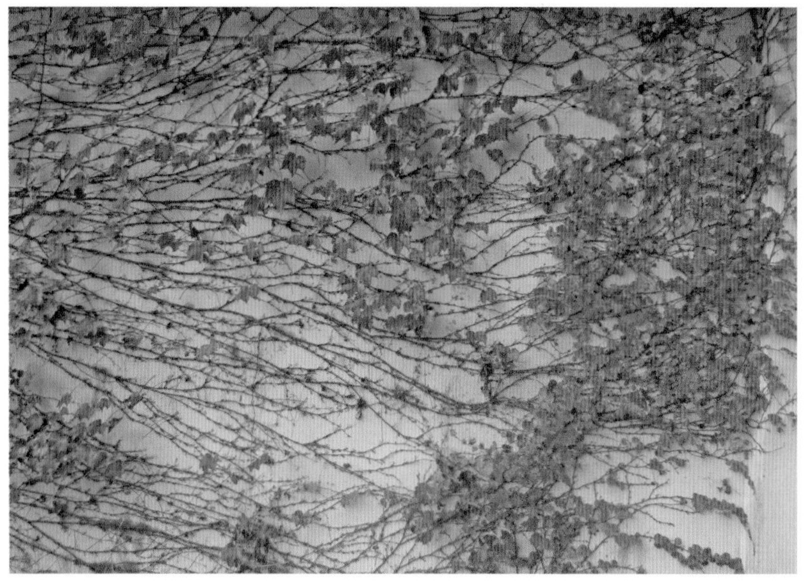

내 인생 최고의 해 만들기

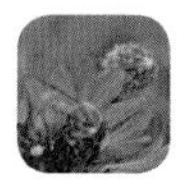

시작은 언제나 아름답고 설렌다. 무한한 가능성이 있기 때문이다. 뿌린 만큼 거둘 수 있으므로 '좋은 생각의 씨'를 뿌려야 한다. 그래서 새해가 오면 부부간에 새해 인사를 나누며 책임과 의무를 다할 것을 다짐한다. 올해에도 우리 부부는 서로 세뱃돈도 주고받았다. 계산해보니 8만 5천원 적자였지만 많이 주는 자가 복을 받는다고 생각해서 즐거울 뿐이다. '내 인생 최고의 해' 계획서도 작성했다.

제목 : 향기 나누는 계수나무

지침 : 화안애화和顔愛話 불치하문不恥下問 견리사의見利思義 공감소통共感疏通

새로운 패러다임 : 베푸는 감사, 영혼의 치유자, 지인의 공유

비전 : 선한영향력을 키우는 행복한 평생교육의 장을 조성하여, 온 누리를 두루 이롭게 하는 품격 높은 인간 육성

미션: 마음의 상처를 받아 어둠속에서 방황하는 이에게 따뜻한 가슴으로 사랑을 전하고 영혼의 쉼터를 제공하는 얼빛 디자이너

〈10가지 목표〉

- 책을 출판한다.
- 멘토 500명을 발굴한다.
- 신체 단련 운동을 매일 30분 이상 실시한다.
- 리더스클럽 독서 토론에 50회 참여한다.
- 텃밭을 조성하여 야채를 자급자족한다.
- 재능기부 나눔 봉사를 월 5회 실시한다.
- 철학 사상 역사 분야 아카데미에 매주 2회 동참한다.
- 특수 분야 연수기관 지정을 받는다.
- 교육프로그램 지도 강사 50분을 선정한다.
- 모바일 활용 지도사 자격을 취득한다.

"생각하는 대로 살지 않으면 사는 대로 생각하게 된다"

인간의 습관은 보고 듣고 냄새 맡고 맛보고 느끼는 오감에 따라 정해진 방향을 따라 반복적으로 실행하면서 형성된다. 좋은 습관형성을 위해서 2011년부터 매년 세 번씩 참여하는 모임이 있다. 100일 프로젝트이다. '신념이 있는 자에게 삶은 축제다' 라고 말하는 〈배움아카데미〉 조석중 대표의 주도하에 이루어지고 있다.

현재 함께 만나는 사람들은 의지의 한국인으로 불리는 〈유맥스〉 김양호 대표를 비롯하여 성혜숙, 이창은, 양혜정, 김귀정, 김지형이다. 백일노트에 각자 목표로 세운 문장을 매일 5번씩 쓰면서 작심삼일作心三日이 되지 않도록 반복하는 것이다. 나는 '책을 출판한 작가다' 라고 기록하고 있다. 하루 중 감사했던 일을 기록하고 주요활동 기록, 아이디어, 배운 것, 만난 사람, 그리고 노력한 일 중에서 특이한 사항도 적는다.

2주일 마다 만남의 시간을 갖는데, 서로 잘했던 일과 부족했던 일에 대해서 의견을 나누고, 다음에 해야 할 일도 선정한다.

"함께 가면 멀리 간다"는 말처럼 100일 동안 서로 격려하고 응원하면서 목표를 향해 성실히 나아간다. 그러면 어느덧 즐겁게 변화하고 성과를 이룬 자신을 발견하게 된다. 청소년을 위한 500분의 멘토를 모시는 사업도 프로젝트 덕분에 원활히 진행되었다고 할 수 있다. 계획대로 완수하지는 못했지만 점진적으로 좋은 성과를 거두고 있다. 100일 프로젝트는 현재 19번째 참여 중인데 총 50회 참여를 목표로 하고 있다. 계산해보니 앞으로 10년은 더 참여해야 한다. 해마다 세 번씩, 100일 기도하는 마음으로 함께 참여한다면 조금은 뜻하는 대로 인생을 살아갈 수 있지 않을까? 생각만 해도 흐뭇하다.

학생님

발명

특허

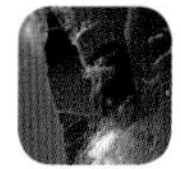

2014년 1월 23일은 내게 있어 특별한 날이다. 특허청에 내 이름으로 특허가 등록된 날이기 때문이다. 2012년 7월 30일에 출원하여 1년 6개월 만에 발명특허를 받았다. 특허 제10-1357391, 발명품의 명칭은 '파력 발전기'이다. 이것을 사용하면 밀물이든 썰물이든 같은 방향으로 회전하게 되므로 발전의 효율을 높여주게 된다.

발전에 문외한인 내가 어떻게 특허를 받게 되었을까?

2012년 4월에 역량 강화 연수가 있었는데, 그 과정 중에

충남 서천으로 1박 2일 동안 현장학습을 갔다. 그때 교육연수원에서 함께 컴퓨터 통신 강사활동을 했던 윤영돈 교장을 모처럼 만났다. 우리는 차 한 잔을 나누면서 특허에 대해서 대화를 나누었다.

“제가 지금까지 몇 가지 특허 출원을 했는데, 비용 대비 크게 히트를 한 종목이 아직 없어요.”

‘파력 발전기’에 대해서 아이디어는 있지만, 경비를 별로 들이고 싶지 않다고 덧붙였다. 자세히 이야기를 듣다 보니 친환경 발전 분야여서 관심이 커졌다. 나는 소요 경비를 물어보고, 절반을 투자할 테니 특허 출원을 하자고 권유했다. 변리사 사무실에 함께 가서 출원했고, 몇 번의 수정 끝에 결국 발명특허를 공동으로 받게 된 것이다. 특허권은 꼭 자신이 발명해서만 얻게 되는 것은 아니다. 공동출자를 해서 공동명의로 얻을 수도 있다. 또한 기존의 특허 중에서 자신이 필요하거나 앞으로 가치가 있다고 판단되는 분야가 있다면 특허권자에게 적당한 대가를 치르고 권리를 인수할 수도 있다.

발명은 어떻게 탄생할까? 세상을 깜짝 놀라게 한 발명에는 종이, 문자, 나침반, 전구, 금속 활판, 바퀴 등이 있다.

에디슨은 수천 번의 시행착오를 거쳐 전구를 발명했다. 하지만 우연한 기회에 만들어져 세상을 바꾼 발명품도 많다. 플레밍의 페니실린과 요즈음 사무실에서 없어서는 안 될 3M의 포스트잇이 그렇다. 생활 속에서 불편함을 해결하기 위해 탄생한 발명도 있다. 곧은 빨대로 음료를 먹기 위해 애쓰고 있는 딸을 위해 주름 빨대가 만들어졌고, 종이가 찢어지지 않도록 철사를 세 번 안으로 구부려 클립을 만들어 사용했다.

요즈음 우리나라에서 특허하면 빼 놓을 수 없는 사람이 있다. 미래에 닥쳐올 식량위기에 대비해서 대체할 곤충 식량을 연구하는 이삼구 귀뚜라미 박사이다. 지금까지 수십 개의 특허를 출원하고 취득해서 대한민국의 국위를 선양하고 있다. 영양가 높고 믿을 수 있는 식량 개발에 박차를 가하고 있으므로 식량 위기 상황이 온다고 해도 먹거리 걱정 없이 지낼 수 있으리라 생각하니 마음 든든하다.

인간은 매일 크고 작은 문제를 맞닥뜨리며 살아가고 있는데, 그 해결의 실마리를 찾아가는 과정에서 발명은 언제 어디서든 나타날 수 있다. 주위를 둘러보면 여전히 해결해야 할 문제들이 아주 많다. 문제를 해결하고 싶은 마음으로 집중하고, 고민하고, 잘 살펴본다면 좋은 아이디어가 떠오를 수 있다. 문제의식이 특허 출원까지 이어진다면 다른 사람들에게 도움을 주며 편리한 세상을 만들 수 있는 것이다. 특허권은 경제에 미치는 영향이 지대하여 특허 전쟁이라는 말이 나올 정도이다. 특허와 저작권 확보를 위해서 우리 두뇌를 깨우고 적극적으로 투자를 해야 할 시기이다.

학생님

이색적인 명함

자신을 소개하고 알리는 방법으로 명함이 많이 사용되고 있다. 좋은 인상을 주기 위해서 혹은 기억에 남기 위해서 남들과는 다르게 제작할 필요도 있다. 내가 교장 시절에 만든 명함의 앞면에는 상단에 심청사달(心淸事達 : 마음이 맑아야 만사가 잘 이루어진다)이라는 사자성어가 적혀있다. 뒷면은 국제화 시대에 걸맞게 영문으로 표기했다.

글귀는 Never too late to start(늦었다고 생각할 때가 가장 빠른 때다)를 넣었고, 이어서 Dream as if you'll live forever(영원히 살 것처럼 꿈꾸어라)를 넣었다. 세월 탓 하지 말고 새로운

일을 꿈꾸고 도전하자는 다짐의 글이다. 명함을 건넬 때 마다 살펴보며 스스로를 채찍질하는 계기가 된다. 그래서 명함을 새로 만들 때마다 글귀를 새롭게 바꾼다.

명함 앞면에 사용한 글은

불치하문(不恥下問: 어린 사람에게 묻는 것이 수치가 아니다)
학여역수행주(學如逆水行舟: 배움이란 배를 타고 흐르는 물을 거슬러 올라가는 것과 같다)
화안애화(和顔愛話: 표정은 환하게 말은 사랑스럽게 하라)
등이다.

명함 뒷면에 사용한 영문은

Knock, and it will be opened to you
두드리면 열릴 것이니라
As you sow, so you reap
뿌린 대로 거두리라
Live, like today is the last day to live
오늘이 마지막 날인 것처럼 살아라
The happy one prays for others
행복한 사람은 타인을 위해서 기도한다 등이다.

JEONBUK EDUCATION TRAINING INSTITUTE
www.jbstudy.kr
Live, like today is the last day to live

President
Ki Dong Hwan

Office +82-63-**830-8100** Mobile +82-63-**10-4578-8722**
E-mail kidong30@jbedu.kr

전라북도학생교육원
-선한 영향력을 키우는 행복한 수련교육-

원 장
기 동 환
學如逆水行舟

전북 남원시 운봉읍 행정공안길 302
Tel : (063) **620-7600**
Fax : (063) **634-7145**
손전화 : **010-4578-8722**
E-mail : kidong30@jbedu.kr

또한 이름 옆에 네잎클로버 문양도 넣었다. 상대방의 행운을 기원한다는 뜻이다. 명함을 건네면서 한마디를 덧붙인다. "버리지 않고 오랫동안 간직하면 행운도 얻게 되지만 악운을 물리치는 역할도 해 준다"고

받았던 명함 중에 기억에 남아있는 것이 있다. 상해에서 무역회사를 경영하시는 박상윤 회장의 명함인데, 이름 앞에 대표나 회장을 쓰지 않고 '행복담당'이라고 썼다. 직원

이나 고객의 행복을 담당한다는 뜻이라 감동스러웠다. 또 한 분은 〈후불제 여행사〉 박배균 회장인데 매월 명함을 제작하는데 한 편의 시가 들어있다. 명함이 바뀔 때마다 요청해서 새로운 시를 읽어보는데, 마음이 한결 부드러워지고 편안함을 느낀다.

명함을 건네면 가끔 내용을 꼼꼼히 살펴보고 뜻을 물어보는 분들이 있다. 그러면 훨씬 관계가 좋아지고 기억에 오래 남는다. 명함을 받아서 그냥 주머니에 넣지 않고 자세히 읽으면 성의가 있어 보이고 정감이 가기 때문이다. 나는 명함을 교환할 때 상대방 이름에 사용하는 한자를 물어본다. 좋은 생각이 나면 즉석에서 삼행시도 지어드린다. 명함은 한 사람의 얼굴이므로 차별화된 디자인과 표현으로 제작할 필요가 있다. 남과 다른 이색적인 명함으로 인하여 내 이름을 상대방이 기억한다면 좋은 관계가 형성될 것이다.

행복한 사람은 타인을 위해서 기도한다

시는 내 삶의 활력소

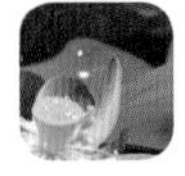

시는 문학의 절정이다. 상상력을 자극하므로 사고력 향상에 훨씬 도움을 주고, 다른 어떤 문학의 장르보다 가장 큰 정신적 긴장감을 준다.

어느 날 아침 독서토론 시간이었다. 전반부를 마치고 막간을 이용해서 박배균 투어컴 회장의 시낭송이 있었다. 장시하님의 '돌아보면 모두가 사랑이더라' 였다. 그전에도 가끔 들었던 시였는데 이날의 감흥은 남달랐다. 마음속에 깊은 여운을 남겼다. 한 편의 시가 내 마음을 사로잡은 것이다. 이 시를 암송하겠다는 의지가 생긴 날부터 바로 외우기 시작했

다. 딸아이에게 “시를 외우다가 틀리면 벌금을 내겠다”고 선언했다. 혼자서는 잘 외우는데 막상 외우려면 몇 단어씩 틀리곤 했는데, 그때마다 딸은 싱글벙글 웃음꽃이 피었다.

전북재능시낭송 모임에 가입한 후에는 대회에 두 번 참가하여 여러 청중 앞에서 시낭송을 했다. 자신감을 키운 소중한 기회였다. 전북교육연수원 재직 시에 연수가 시작될 때마다 인사말을 해야 한다. 일상적인 인사말을 반복해서 하는 것이 식상해서 예전과 다르게 시 한 편씩을 소개하기로 했다. 처음에는 틀리기도 하고 어색했지만 자주 하다 보니 숙달이 되었다. 교육 대상에 따라서 계절별로 각기 다른 시를 소개했다. 연구사들이 이구동성으로 “원장님은 어떻게 그렇게 매번 다르게 시를 암송하는지 모르겠다”라고 하기에 “대부분 교육생이 시를 잘 모르므로 그냥 틀려도 괜찮다는 생각으로 하는 것이다”라고 대답했다.

시낭송을 자주 하다 보니 상당히 자신감이 생겼다. 어느 날은 하루아침에 세 군데에서 인사말을 할 때가 있었는데 각기 다르게 했다. 차츰 발전해서 2~3편의 시 제목을 교육생에게 제시하고 그들이 원하는 시를 낭송하기도 했다.

가끔 내가 진행한 교육 연수를 받았던 분을 만날 때가 있다. 연수 받을 당시에 들었던 시를 기억하면서 참 신선했다고 말해왔다. 틀에 박힌 인사말을 했더라면 내가 한 말을 거의 기억하지 못했을 것이다. 시낭송으로 인해서 다시 만났을 때 이야깃거리가 생긴 것이다.

시모임 회원을 만날 때면 자연스럽게 시 한 편씩을 번갈아 낭송하기도 한다. 서로 알고 있는 시라면 한 줄씩 번갈아 낭송한다. 이처럼 만나서 시를 낭송할 수 있다는 것은 참으로 즐겁고 행복한 일이다. 시 암송은 시를 외우기 위해서 수십 번 읽고 중얼거려야 한다. 뇌를 자주 사용하므로 치매예방의 특효약이 아닐까?

사람은 살아가면서 갖가지 행사에 참여하게 된다. 사전에 인사말을 요청받은 행사에 참여할 경우에는 미리 준비를 할 수 있지만 갑작스럽게 인사말을 해달라는 요청을 받을 때는 당황스럽다. 그럴 때 몇 편의 시를 외워두었다가 시기나 대상에 맞게 사용한다면 어색함을 면할 수 있고, 감동적인 분위기도 조성하게 된다. 또한 말하는 본인도 반복해서 시를 외우면서 품성이 긍정적으로 변하여 아름다워진다. “말이 씨가 된다”는 글처럼 행동도 긍정적으로 하게 되어 삶이 보다 여유롭고 풍요로워진다.

우리 가족은 오케스트라

아이들의 외할머니를 위해 1년에 한 번씩 작은 행사를 열자고 가족들에게 제안했다. 나는 '가족 한마음 잔치'라는 주제로 음악과 율동이 있는 공연을 떠올렸다. 하지만 고등학생이었던 딸아이는 별로 내키지 않는 표정이었다. 평소 성격이 조용하기 때문에 앞장서서 추진하는 편은 아니다. 공연을 성사시키기 위해서 일정한 금액을 내걸었다. 행사를 못 하는 것보다 억지로라도 하는 것이 낫다고 생각했기 때문이다. 공연에 참여한다면 출연료도 주기로 했다. 가족 모두가 동의해서 계획을 세웠고, 장모님께 연락해서 날짜를 정하여 집으로 모셔왔다.

나는 장시하님의 '사람은 사랑한 만큼 산다'는 시를 낭송했다. 아내는 우쿨렐레와 오카리나 공연을 했고, 딸아이는 좋아하는 춤을 추고, 피아노 연주를 했다. 마무리로 다 같이 '어버이 은혜'를 불렀다. 짧은 행사였지만 장모님은 다소 어색해하시면서도 기분 좋은 표정이었다. 끝으로 아내가 상다리가 부러지게 준비한 만찬을 나누며 화기애애한 하루를 보냈다.

전년도에는 곡만 바꾸어서 비슷한 형태로 한마음 잔치를 했는데, 올해에는 전보다 더 크게 행사를 치르고 싶다. 딸아이의 친구들도 초청해서 함께 무대를 만들자고 요청했다. 돌아오는 장모님 생신날에는 이웃들과 함께하는 행사를 계획하고 있다. 가족과 함께하는 공연을 하므로 각자의 끼를 발산하는 기회도 되지만 멋진 화합의 자리가 된다.

살아가면서 누군가와 관계를 맺으며 살아가지만 가장 먼저 가족이 우선되어야 한다. 가화만사성家和萬事成이라는 말처럼 가정이 건강하고 화목해야 모든 일이 술술 잘 풀리리라.

가장 먼저 가족이 우선되어야 한다

학
생
님

엄마

2장 문제는 해결을 위해 존재한다

흔들리며 피는 꽃 / 도종환

흔들리지 않고 피는 꽃이 어디 있으랴

이 세상 그 어떤 아름다운 꽃들도
다 흔들리면서 피었나니
흔들리면서 줄기를 곧게 세웠나니
흔들리지 않고 가는 사랑이 어디 있으랴

젖지 않고 피는 꽃이 어디 있으랴

이 세상 그 어떤 빛나는 꽃들도
다 젖으며 젖으며 피었나니
바람과 비에 젖으며 꽃잎 따뜻하게 피웠나니
젖지 않고 가는 삶이 어디 있으랴

해답이 없는 문제가 있을까?

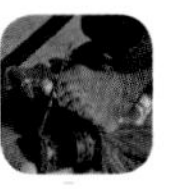

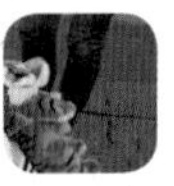

'아뿔싸, 이게 웬일인가?'

지저분해진 캐비닛 안을 정리하는데 입학원서 두 장이 보였다. 갑자기 머리를 한 대 얻어맞은 듯했다.

중학교 3학년을 맡아서 학년 부장으로 역할을 담당하고 있었을 때다. 입학 전형을 위한 원서 접수가 시작되면 13학급의 원서를 취합하고, 결재를 받아서 학교별, 전·후기별로 분류해서 접수해야 한다. 가장 어수선하고 바쁜 시기이다. 아이들과 학부모들을 만나 인문계 합격 예상 점수

를 제시하고, 입씨름까지 해가면서 희망학교를 조정하고 마무리했다. 학생들은 진인사대천명의 심정으로 얼마 남지 않은 연합고사에 대비해 차분히 총정리를 하는 시기이다.

입학원서 접수가 마무리되었기 때문에 잠시 흐트러진 캐비닛을 정리하고 있었는데 모퉁이에서 입학 원서 두 장이 나타난 것이다. '누구 것이지?' 급하게 펼쳐 보았다. 아니! 실업계 고등학교에 지원한 재수생 원서가 나타난 것이었다. '이 일을 어찌하면 좋을까?' 순간 눈앞이 캄캄했다.

우선 두 학생의 학부모님을 찾아뵙고 백배사죄했다. 그분들도 얼굴색이 바로 변하면서 어찌할 바를 몰랐다. 나는 "이미 엎질러진 일이니 최고의 방법을 연구해보겠습니다"라고 말하며 그 순간을 모면했지만, 정말 어찌해야 할지 막막했다.

문제가 있으면 분명 해법도 있으리라. 우선 시골에 있는 학생 수가 미달인 학교를 수소문해서 추가 모집학교에 입학을 시켰다. 그리고 학생들이 처음에 가고 싶어 했던 학교를 찾아가서 전학생들로 인해 자리가 생기면 연락을 해달라고 요청했다. 하지만 바로 빈자리가 나지 않았고, 학부모들은 조바심이 나서 전화를 자주 걸어왔다. 정말로 가슴 조이고 신경이 곤두섰던 순간이었다. 다행히 한 학교에 빈자리가 생겨서 그 학교를 원했던 학생이 먼저 전학을 했고, 천만다행으로 나머지 한 학생도 얼마 지나지 않아 해결되었다.

지금도 그때를 생각하면 한숨이 저절로 나오고 머리가 멍해진다. 하지만 문제는 해결하라고 존재하는 것이다. 분명히 어디엔가 신의 한 수는 남아있다. 포기하지 않고, 찾고 또 찾다 보면 해결책이 보인다. 그 일을 경험한 이후로 메모하고, 확인하고 또 확인한다. 아픈 만큼 성숙해졌다. 업무를 처리할 때 더욱 조심성을 갖게 되었으며 크나큰 교훈을 안겨준 사건이었다.

코골이 대처법

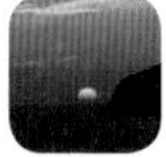

사회생활을 하다 보면 가족이 아닌 다른 사람들과 합숙할 일이 생긴다. 연수나 출장, 여행 때가 그러하다. 여러 모임을 갖고 왕성하게 활동하는 사람이라면 이러한 기회가 더 많을 것이다. 친분이 전혀 없고 서먹한 사이어도 같은 방에서 잠을 자야 할 때가 있다. 운이 없으면 잠잘 때 코를 심하게 고는 사람과 악몽 같은 밤을 지낼 수도 있다.

교사 시절의 일이다. 동료 교사와 한방에서 잠을 잘 때 코 고는 소리를 들으면 잠을 이루지 못했다. 결국 한겨울

인데도 이불을 싸 들고 다른 방으로 옮겨가곤 했다. 이렇게 코 고는 소리에 아주 민감한 편이었는데, 공교롭게 해외체험 연수 때 왕 코골이 님을 만나게 되었다.

교원들이 배를 타고 중국 청도로 해외연수를 간 첫날이었다. 면세점에 들러 선물할 요량으로 비싼 술을 샀는데 그날 밤에 함께 한 동료들이 귀한 분들이라는 생각에 발렌타인 30년산 술을 개봉했다. 모두가 반가워하며 즐겁게 건배를 하고 흥겨운 이야기로 꽃을 피웠다.

늦은 시간이 되어 다들 자신의 방으로 옮겨갔고, 나는 룸메이트와 단둘이 남았다. 그런데 그분이 멋쩍게 얘기를 꺼냈다. "제 코골이 소리는 옛날 화물열차의 화통 소리만큼 요란합니다" 그는 눕자마자 이내 곯아떨어졌고, 아니나 다를까 바위산을 폭파하는 정도의 소리가 들려왔다. 나는 도저히 잠을 이룰 수가 없었다.

이 일을 어찌할까? 싶었지만 방법이 없었다. 전처럼 이불을 들고 다른 곳으로 이동할 수도 없는 숙소였기에 그냥 자리에 누워있었다. 미리 알았더라면 별도의 방이라도 이용할 텐데 너무 늦은 시간이라 어쩔 수 없었다. 귀를 막고 이불을 뒤집어 써 봐도 그 소리는 점점 커졌다. 잠을 자야만 한다는 생각과 이 상태로는 도저히 잠을 잘 수 없을 것

같아서 힘들어하다가 생각에 잠겼다. "피할 수 없으면 즐기라"는 말을 떠올렸고, "현실의 상황을 바꿀 수 없으니, 차라리 즐길 수는 없을까"를 궁리하게 되었다.

저런 종류의 음악은 없을까? 새로운 장르의 음악이라고 생각을 전환했다. 그러자 다소 마음이 편해져서 상대의 크고 웅장하게 코 고는 소리에 따라 고개를 끄덕이며 손으로는 지휘했다. 이젠 누워서 코 고는 음악 소리에 코드를 맞췄다. 그러다 나도 모르게 스르르 꿈나라에 빠졌다. 하룻밤을 보냈다. 어떻게 잠들었는지 기억도 나지 않았다. 룸메이트는 눈을 뜨자마자 나에게 진심으로 미안해했고, 잘 잤다는 내 말에도 "자신과 한방을 쓰게 되었으니 하루만 더 고생하라"는 말까지 덧붙였다.

코를 심하게 고는 사람의 심정이야 오죽할까. 본인이 일부러 피해를 주려고 하는 것도 아닌데 본의 아니게 타인에게 고통을 주는 것이다. 만약 내가 코를 심하게 곤다면 함께 여행을 다닐 때 타인을 의식해서라도 독방을 이용할 것이다.

우리는 살아가면서 누군가와 한 방을 쓰게 되는 경우가 간혹 있다. 룸메이트라는 특별한 인연을 만났다고 생각하면 된다. 낮 동안에 즐겁게 함께 했던 그가 밤에 코를 골며

잔다는 이유로 그를 싫어하고 미워할 것인가? 그 이후로 코골이들과 여러 차례 한 방을 이용했는데 잠들지 못하는 일이 없어졌다. 그 당시 진퇴양난의 자리를 만들어준 룸메이트에게 고마움을' 전한다.

코골이와의 동침 신경증 극복 경험으로 인해서 이젠 자유로운 인간이 되었다. 내게는 코가 있어서 콧노래를 할 수 있고 두 손이 있으므로 잠깐 지휘만 하면 된다. 코골이와 함께하는 인연이 생기면 회피하지 않는다. 아직도 멈칫하기는 하지만 좋은 인연으로 편안하게 수용한다. 새로운 장르의 음악 감상 기회가 아닌가?

"생각을 바꾸면 행동이 바뀌고 행동이 바뀌면 습관이 바뀌고 습관이 바뀌면 인생이 바뀌게 된다."

생각을 바꾸면 행동이 바뀌고 행동이 바뀌면 습관이 바뀌고

습관이 바뀌면 인생이 바뀌게 된다

최고의 선물

"관사에 두었던 돈이 없어졌습니다."

출근하면서 현금 봉투를 관사 책상 위에 두었는데, 퇴근 후에 가서 보니 봉투가 보이지 않는다는 것이다.

"관사 문에 자물쇠는 잠갔습니까?"
"예, 퇴근할 때도 문은 잠겨 있었습니다."

그렇다면 누가 열쇠로 문을 열고 들어갔다가 다시 잠그고 나왔다는 이야기가 된다. 열쇠를 핸드백에 넣어서 교실 탁자 위에 두었는데, 점심 식사 후에 잠시 자리를 비웠다는 것이다. 그 말을 듣고 '혹시나 하고' 머리에 떠오르는 아이가 있었다. 그 아이는 결손가정으로 할머니와 단둘이 생활하는데 형편상 거의 용돈을 받지 못하고 지낸다. 그간 여러 차례 친구의 돈을 훔쳤고, 선생님 가방에도 자주 손을 대서 일부 변상한 적도 있었다. 하지만 이번 사건은 관사에 들어가 훔친 사건이므로 예사롭지 않았다. 주거 침입 절도사건인 것이다. 자칫 오해한 거라면 큰일이다.

고민하던 중에 제보가 들어왔다. 소미(가명)가 갑자기 돈을 펑펑 쓴다는 것이다. 친구들에게 과자도 사주었다는 것이다. 나는 방과 후에 조용히 그 아이를 불렀다. 먼저 할머니의 건강과 방과 후에 어떻게 지내는지 알아보고 이어서 어제의 하루 생활에 대해서 물어보았다. 표정이 달라지고 머뭇거린다. 어제 했던 일에 대해서 자세히 쓰라고 했다. 돈이 어디서 났으며 어떤 물건을 구입했는지도 물어보았다. 하지만 앞뒤가 맞지 않는다. 지문감식에 관해서 설명해주었다. 누군가 물건에 손을 댄다면 흔적이 남기 때문에 그 사람을 알아낼 수 있다고 했다.

줄다리기 끝에 그 아이는 관사에 갔던 사실을 털어놓았다.

사용한 돈을 제외한 나머지를 회수했고, 일주일 동안 상담지도를 했다. 앞으로 남의 물건에 손대지 않고 바른 행동을 할 것이라고 다짐을 했기 때문에 용서를 했다. 주기적으로 약간의 용돈도 주었다. 아무튼 그 이후로 별 탈 없이 지냈던 기억이 있다. 사람은 여러 번 변한다. 헤아려 보니 이젠 그 아이도 20대 초반의 어엿한 숙녀가 되었을 것이다. 과거의 철없을 때의 흔적을 지우고, 이젠 어딘가에서 과거의 잘못을 선행으로 갚는 성숙한 인간으로 살아갈 것이다.

가끔 부모의 관심과 사랑을 받지 못해서 마음의 상처를 간직한 애들이 손쉽게 유혹의 손길에 빠지곤 한다. 아이들이 건강하고 올바르게 성장하려면 무엇보다도 가정에서 부모들이 한순간의 편견으로 섣불리 선택하는 것을 자제해야 한다. 냉정하게 판단하고 행동해야 할 것이다. 요즈음 결손 가정이 늘어가고 있는 것은 참으로 안타까운 현실이다. 잘못된 한 아이가 사회에 끼치는 영향이 지대하므로 모두가 우리 자녀라는 생각으로 온 마을이 함께 책임을 갖고 관심을 기울여야 할 시기이다.

용서는 언제 해야 할까?

마냥 용서해주는 것은 바람직하지 않다. 용서는 상대가 뉘우쳤을 때 줄 수 있는 선물이다. 낙인을 찍어서 매장하기

보다 변화된 삶을 살도록 대화하고 유도해야 한다. 어떤 사람은 용서하지 못해 평생 한 맺힌 삶을 사는가 하면, 어떤 이는 용서받지 못한 고통 속에서 좌절하고 절망 속에 깊은 병을 앓기도 한다. 만일 나를 고통스럽게 만들고 상처를 준 사람에 대해 미움이나 나쁜 감정을 키워나간다면, 내 마음의 평화가 깨진다. 하지만 내가 먼저 용서한다면, 내 마음은 즉시 평화를 되찾을 수 있다. 상처의 진정한 치유는 용서에서 오기 때문에 용서는 자신과 이웃을 치료하는 데 중요한 역할을 한다. 용서해야만 진정으로 행복할 수 있으므로 용서는 자신에게 줄 수 있는 최고의 선물이 된다.

학생님

용서해야만 진정으로 행복할 수 있으므로...

꿈을 꾸면

이루어진다

학교 운동장이 과거에는 방죽이었다. 그래서 비만 오면 많이 질척거리고 이용할 수 없는 것이다. 조금이라도 여유를 부리면 온통 풀밭으로 변하고, 각종 벌레나 뱀이 출몰하는 경우도 많았다.

나는 부임과 동시에 꿈꾸었던 것이 있다. 운동장을 새롭게 조성하여 학생들이 안전하게 이용하고, 학교 인근에 사는 주민들도 신나게 활용할 수 있는 공간으로 만드는 것이다. 그래서 친환경운동장 조성을 학교발전계획 사업으로 선정했다.

도교육청에서 운동장 조성 신청에 관한 공문이 왔다. 5억 원을 지원받아서 조성할 기회가 온 것이다. 바로 교직원 회의를 개최했는데, 학생들이 즐겁게 뛰어놀고 건강하게 활동할 수 있는 운동장이 필요하다고 모두 공감했다. 가능성은 희박해도 두드려 보자는 의견이 모아졌지만, 사실 앞길이 첩첩산중과 같았다.

시에서는 1억 5천만 원을 대응 투자해야 하는데 이미 예산 사용할 곳이 많다고 난색이었다. 나는 직접 찾아가서 운동장 사업에 관해 설명했다. 운동장을 만들면 주민들이 활용할 수 있는 공간이 만들어지므로 시에 도움이 되는 것이다. 1억 5천만 원을 지원해서 5억의 운동장이 조성되면 시에 유리한 사업이라고 설득했다. 결국 어렵게 대응투자 확약서를 받아서 도교육청에 제출하여 신청이 승인되었다. 그런데 시에서 시의회에 추경 예산안으로 상정조차 하지 않았기에 국가와 도교육청에서 받은 3억 5천만 원의 예산을 다음 해로 명시이월하지 않을 수 없었다.

지방자치단체장 선거가 있는 해가 돼서야 학교운영위원들에게 시장님과의 간담회를 요청했고, 가까스로 성사되었다. 시에서는 예산을 지원하는 대신에 완공된 이후에 적극적으로 활용하자는 의견을 제시해왔다. 학교운동장이 비교적 넓은 편이므로 성인축구가 가능한 인조잔디구장으

로 만들자는 의견이었다. 인공잔디구장은 미관상 보기에는 좋지만, 아이들의 건강에 좋지 않다고 보고된 바 있다. 그리고 계속 보완해야 하므로 예산이 많이 소요된다. 나는 예산을 반납하게 될지라도 친환경 운동장에 대한 의견을 굽히지 않았다.

다행히도 여러 번의 만남과 의견교환으로 우여곡절 끝에 시의회에서 예산이 통과되었다. 땅파기가 시작되고 기초가 마련되어 공사가 순풍을 달고 진행되었다. 이제 감람석만 바닥에 깔면 마무리 되는 것이다. 그런데 공사를 시작할 수 없을 정도로 연일 장마가 계속되는 바람에 공사가 지연되었다. 웅덩이가 생긴 운동장을 보며 마냥 기다릴 수밖에 없었다.

생각보다 장마가 길어지던 어느 날이다. 깜짝 놀랄만한 뉴스를 접하게 되었다. 전국에 설치된 감람석 운동장에서 유해성분이 발견되었다는 소식이었다. 감람석으로 설치하려던 계획을 전면 보류하라는 공문이 시달되었다. 그야말로 진퇴양난進退兩難의 순간이었다. 다시 의견을 모았다. 잔디구장이냐, 아니면 마사토 운동장이냐 하는 갈림길에서 많이 고민했다. 잔디구장을 주장하는 의견도 있었지만, 원래 바닥이 습한 곳이라 잡초들 때문에 사후 관리가 문제가 된다는 것이다. 그래서 결국 마사토 운동장으로 결론을 내렸다. 감람석 계약 취소가 안 된다는 업자를 설득해서 간

신히 계약 취소를 받아내고, 설계도 수정했으며 기초 공사도 변경했다.

만약에 장마가 계속되지 않았다면 어찌 되었을까? 아마 곧바로 감람석 자갈이 운동장에 깔렸을 것이다. 이미 납품된 자재 대금이 문제가 되고, 제거하는 데도 상당한 비용과 처리 기간이 걸렸을 거다. 지금 생각해도 아찔하다. 길어진 장마 덕을 크게 본 것이다.

운동장 공사가 공문 제출일부터 마무리하기까지 꼬박 2년이 걸렸다. 하지만 예산은 오히려 절약되어서 육성 종목인 필드하키 보조 연습장을 만들었다. 운동장 둘레에 태양광 가로등도 설치했다. 이처럼 어렵고 힘들게 조성되었기에 운동장만 생각하면 감회가 새롭다. 운동장 준공식은 시장님과 지역사회 인사 그리고 학부모와 학생들을 모시고 성대히 치렀다. 어떤 일을 해야겠다고 꿈을 꾸면 보이지 않던 것이 보이므로 방법을 찾아서 해결할 수 있게 된다. 친환경 운동장 조성을 지지하고 예산을 지원해준 모든 분에게 진심으로 고마움을 표한다.

교육은 "백년지대계百年之大計"로써 먼 앞날까지 미리 내다보고 세우는 크고 중요한 과정이다. 교육시설 사업을 할 때는 이처럼 먼 장래를 바라보고 천천히 그리고 꼼꼼히 챙겨야 한다.는 교훈을 얻었다.

학생님

약보 보다

식보

"질병도 음식에서 비롯되지만, 치유도 음식으로 해결할 수 있다."

익산 낭산에는 약선요리 명가인 초향정이 있다.

약선요리란, 동양의학 지식을 바탕으로 원재료를 선택하고, 방제원리에 의해 배합하고 과학적인 조리 방법을 응용하는 건강 요리이다.

초향정은 낭산면에서 큰길을 벗어나 논길 따라 꼬불꼬

불한 길을 500미터 이상 가야 나오는 곳이다. 외길이라 도중에 마주 오는 차를 만나면 애를 먹기도 한다. 오염과 공해를 벗어나서 신선한 식재료를 얻기 위해 일부러 외진 곳을 선택한 것이다. 이런 불편함만 감수하면 좋은 선식으로 몸과 마음의 치유를 얻을 수 있다.

음식점 현관에 들어서면 벽에 걸려있는 자격증과 상장 그리고 수료증 등이 한눈에 들어온다. 또한 효소를 담은 유리병들이 즐비하고 뒤뜰에는 많은 항아리가 있다. 대부분 항아리는 음식 재료를 발효시키기 위해서 사용한다. 모든 재료는 직접 채취해서 담아둔 것들이다.

식사 전에 제공하는 물도 범상치 않았다. 12가지 약재를 넣어서 달였다고 한다. 첫 번째 음식은 입맛을 돋우는 보리로 만든 단술이 나오고, 그것에 곁들일 새콤달콤하면서 쓴맛이 나는 냉채가 함께 나왔다. 두 번째는 오장육부를 다스릴 수 있도록 오방색의 야채, 홍어와 묵은김치 그리고 삶은 돼지고기와 뽕잎과 새우젓이다. 세 번째는 으깬 자색감자와 양파, 오리고기, 닭다리가 나왔다. 네 번째는 잡채와 동태튀김, 들깨탕이다. 품격 있는 식사에는 단연코 반주가 필요하다. 요청하자마자 각각의 사람의 체질에 맞는 약주를 가져왔다. 직접 담갔다는 술 한 잔을 마시니 온

몸에 열이 확 번지면서 혈액순환이 왕성해져 손발이 따뜻해진다.

마지막은 한 상이 푸짐한 식사다. 많이 먹어도 속이 불편하지 않다. 음식 궁합을 맞춰서 식단을 준비했기 때문이다. 예측건대 과거 임금님이라도 아마 이런 식사를 못 했으리라 여겨진다. 지상의 천국이 있다면 바로 이곳이 아닐까? 내가 아는 모든 분을 이 황홀한 식탁에 초대하고 싶다.

음식으로 치유할 수 없는 질병은 의사의 의술로도 못 고친다. 의학의 아버지이자, 그리스의 의학자 히포크라테스는 "음식이 약이 되게 하고 약이 음식이 되게 하라"는 말을 했다.

소소한 행동일지라도, 시작하는 것이 중요하다. 먼저 오색이 있는 음식을 챙겨 먹을 것을 권유한다. 질 좋은 소금을 구입해서 간수를 제거하고 약간 간간하게 먹어서 신장의 건강을 챙기는 것이다. 토마토는 하루에 1~2개씩 먹고, 찬물보다는 따뜻한 물을 섭취해서 적정 체온 유지에 힘써야 한다. 또한 음식궁합을 고려하여 계획적으로 식단을 짜고, 조화로운 식재료들로 건강생활을 유지해야 할 것이다.

사람이 세상을 살아가는 데 있어 음식이 으뜸이고 약물이 그 다음이다. 즉, 약보藥補 보다 식보食補가 낫다.

준비하면

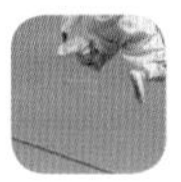

기회는

온다

"신이시여! 저에게 로또가 당첨되도록 해주소서!"

날마다 신에게 기도하는 청년이 있었다. 그런 청년이 갸륵했는지 드디어 신이 나타났다.

"야! 로또라도 사고 나서 기도를 하든지!"

아무것도 하지 않고 바라기만 한다면 결과는 어떻게 될까? 말할 필요조차 없이 '꽝'일 것이다.

연습으로 시도했던 시험이 기회가 된 일이 있다. 1982년도에 부족한 중등교원 충원하기 위해서 순위고사 공고가 났다. 시험 경향을 파악하기 위해서 연습으로 시험에 응시했는데, 결과는 중상위권이었다. 초등교사 의무 복무 기간이 1년 정도 남아있어서 바로 발령을 받아도 전직할 수 없는 실정이었다. 그래도 혹시나 발령이 날까 봐 연기 신청을 해두었다.

한해가 지나고 1983년도에 정식으로 순위고사에 응시하려고 준비를 하고 있었다. 그런데 공교롭게도 전년도 합격자들이 거의 발령이 나지 않아서 그 해는 순위고사 계획이 없다는 소식을 들었다. 필요한 교원은 전년도 합격한 자들을 대상으로 발령을 낸다는 것이다. 순위고사를 다시 응시할 필요가 없어졌다. 그 해에 시험을 대비해 준비한 사람들은 아마도 실망이 컸을 것이다.

1983년 9월 18일, 초등교원으로서 의무복무 기간이 끝나는 마감날이다. 그런데 딱 그해 9월 30일에 진안군 동향중학교로 발령을 받았다. 다행히도 적기에 발령을 받은 것이다. 마치 중등학교로 옮기라는 숙명인 것 같았다. 만약에 전년도에 연습으로 시험에 응시하지 않았더라면 중등학교로 옮길 기회가 사라졌을 것이다. 사전에 준비하고 응시했던 것이 기회가 되어 실현된 것이다.

'행운이란 준비가 기회를 만났을 때 생기는 것이다'라는 말이 뇌리에 스쳤다. 준비하지 않고 시도하지 않으면 아무것도 얻을 수 없다. 하지만 준비가 되어있다면 기회가 찾아왔을 때 바로 포착할 수 있다. 나는 다행히도 미리 준비해서 시도했고, 시기적절하게 뜻대로 잘 이루어졌다. 교대를 졸업했을 때 적체현상이 심해 발령이 나지 않았다. 즉시 4년제 대학교에 편입해서 중등 2급 정교사 자격을 취득한 것이다.

1983년 9월 30일, 나는 이날을 특별하게 생각한다. 그날이 있었기에 교원으로서 영광스럽게 학교장을 거쳐서 교육연수원장과 학생교육원장을 역임할 수 있었기 때문이다. 무엇이든 준비를 하고 문을 두드리면 열린다는 것을 경험한 것이다.

준비하고 시도하라, 그리하면 얻게 될 것이다.

학생님

행운이란 준비가 기회를 만났을 때 생기는 것

건강을 부르는

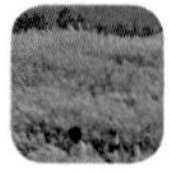

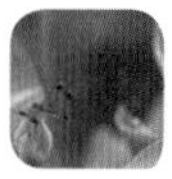

긍정 습관

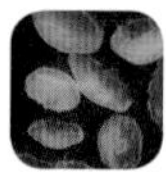

"미래에 명의名醫는 환자에게 약을 쓰지 않고 인체 내 자연치유력과 음식물의 영양을 이용하여 질병을 예방하고 치료할 것이다" 발명왕 에디슨의 발언이다. 명의가 되기 위해서는 자연 치유력을 이용해야 한다는 것을 암시한다. 질병을 치료제나 현대 의학 기술에 의존하기보다는 마음을 고쳐 근본적으로 치료해야 한다는 것이다.

'뇌내혁명'의 저자 하루야마 시게오는 우리 뇌 안에는 20여 종의 '뇌 내 모르핀'이 자연 치유력에 관여하고 있는데, 감사.사랑.찬송.기쁨.희망.봉사.칭찬.웃음 등이 가득하면 전구 단백질이 'B-엔도르핀' 으로 변하면서 0.4초 안에 전신으로 모르핀이 퍼져 나간다고 했다. 마음이 즐겁고 행복할 때 우리 몸 자체에서 자연 치유력이 활성화되어 질병의 예방과 치료가 가능해진다고 했다. 또한 고질병이나 만성병으로 고생하는 가장 중요한 원인이 잠재되어 있는 억압된 증오심, 갈등, 걱정, 화 등 부정적인 생각 때문이라는 사실을 밝혀냈다. 그리하여 이것을 해소함으로써 치료에 놀라운 효과를 보았고, 질병 치료에 마음을 고치는 일이 중요함을 강조했다.

나만의 감기 예방법을 소개하려고 한다. 나는 평소에 독감 예방 접종을 받지 않는다. 대신에 "나는 감기에 걸리지 않는 사람이다"라고 계속 주문처럼 반복해서 되새긴다. 그리하면 대체로 감기에 걸리지 않는 경우가 많다. 감기 기운이 살짝 있는 경우에도, 금방 좋아질 것이라고 자기 최면을 걸면서 긴장을 풀지 않고 활동하면 자연적으로 치유되기도 한다.

나는 가끔 나이에 비해 피부가 탄력이 있으며 마사지를 받은 것처럼 곱다는 말을 자주 듣는다. 또한 인상이 밝고 젊어 보인다고도 한다. 듣기 좋으라고 한 말 같지만 그리 싫지는 않다. 그 이유를 나름대로 생각해 본다. 아마도

이해利害를 따져야 할 경우가 있을 때 내가 남보다 더 이익 보려고 하지 않기 때문일까? 남을 즐겁게 해야 복을 받는다고 생각하며, 단점보다는 남의 장점을 보고 듣고 말하는 습관일까? 힘들고 기분 상하는 일은 금방 바람에 날려버리고 묻어버리는 망각증 때문일까?

심신의 건강을 유지하기 위해서 습관적으로 행하고 싶은 것이 있다.

첫째, 나는 항상 건강하고 긍정적인 사람이라고 생각한다.

둘째, 쉬는 시간에 자주 눈을 감고 심호흡을 하면서 마음을 안정시킨다.

셋째, 남의 장점을 찾아서 칭찬한다.

넷째, 좋은 시를 찾아서 매일 규칙적으로 낭송한다.

다섯째, 가급적 좋은 것을 보고, 좋은 말을 듣고 전하면서 좋은 생각을 하도록 노력한다.

여섯째, 운동을 30분 이상 실시한다. 손쉬운 운동은 걷기이다.

일곱째, 잠자리에 들기 전에 보람 있었던 일들을 생각하며 감사한다.

긍정적인 생각과 행동으로 질병을 예방하고, 행복한 삶을 누릴 수 있다면 그것이야말로 최고로 복 받은 인생이 아니겠는가?

일체유심조 一切唯心造

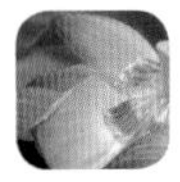

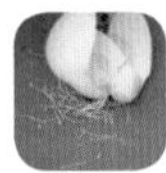

"어제 내 수업 괜찮았니? 별 일 없었고?"

"네, 선생님."

정말 다행이었다. 아이들은 눈치 채지 못한 것 같았다. 혹시 알면서도 모르는 척하는 것인가? 아니면 내가 감쪽같이 연기를 잘한 것인가? 아무튼 지금 생각해도 멋쩍은 순간이다.

내가 대학생 때였다. 중간고사가 끝나던 날, 길에서 우연히 중학교 은사님을 만났다. 선생님은 나를 보고 무척 반가워하셨는데, 이미 약주를 하신 뒤라서 동행할 사람을 만나서 더욱 반기는 느낌이었다. 역시나 나에게 동행을 권하셨고, 나는 거절하지 못했다. 근처에 있는 막걸리 집에 들어갔다.

막걸리 집에서 한 주전자를 시키고 나서야 내가 지갑을 안 가져 왔다는 걸 깨달았다. 제자인 내가 비용을 내야 한다는 생각에 선생님이 화장실 간 틈을 타서 얼른 주인장에게 손목시계를 맡겨 난생 처음으로 외상이라는 것을 해보았다.

선생님은 오랜만에 만난 제자와의 술자리가 즐거웠는지 큰 소리로 덕담을 해주셨다. 그러나 그 자리가 끝이 아니라는 게 문제였다. 흥이 난 선생님은 건너편의 다른 주점으로 자리를 옮기자고 하셨다. 그곳에서도 흥겨운 시간을 보내고 나서 밖으로 나왔다. 선생님이 가져온 자전거를 내가 끌고 뒤를 따라가는데 개업하는 왕대포집이 보였는데, 아뿔싸! 선생님이 그곳으로 들어가는 것이 아닌가? 아무튼 공짜 술을 한 대접씩 마시고 나왔다.

생전 처음으로 많이 마셨던 날이다. 그저 수십 번씩 되뇌었던 말은 '선생님 앞에서 절대 실수해서는 안 된다. 취해서는 안 된다'는 것이었다. 선생님을 댁까지 안전하게 모셔다 드리는 것이 내 책임이었다. 다시 자전거를 끌고

가는데 선생님이 보이지 않아서 뒷걸음울 쳤다. 나도 모르게 쓰러졌다. 아니 취한 것인가? 마음을 단단히 다시 고쳐먹고 선생님을 따라갔다. 그렇게 함께 걸어가다가, 선생님이 근무하는 학교 앞을 지날 때 선생님이 갑자기 멈춰 섰다. 내가 어리둥절 하는 사이 선생님이 바로 학교 앞 가게로 들어갔다. 자전거를 받쳐두고 따라 들어갔더니 어느새 소주 한 병을 시켜 대접에 나눠 따라놓았고 그곳에 생달걀을 하나씩 넣었다.

"만나니까 기분 좋다. 딱 한잔만 더 하자!"

막걸리에 소주를 마시면 안 될 텐데 하는 마음이 앞서고 눈앞이 캄캄했지만, 선생님이 술을 더 드시면 안 된다는 생각과 잘 챙겨드려야 한다는 마음 때문에 내가 먼저 대접에 있는 달걀소주를 얼른 들이켰다. 천만다행으로 그 자리가 끝이었다. 선생님과 자전거를 댁까지 안전하게 모셔다 드릴 수 있었다. 지갑도 없기에 집까지 걸어갈 수밖에 없었다. 걷다가 뛰다가를 반복하며 겨우 집에 도착했는데 남학생 두 명이 기다리고 있었다.

'재네가 웬일이지? 아차!'

그날은 학생들 과외를 하는 날이었다. 핸드폰이 없던 시절이라 이제나 저제나 내가 오기만을 마냥 기다리고 있던 것이다. 늦은 시간까지 기다린 아이들을 보는 순간 술이 확 깼다. 정신이 돌아왔다.

"얘들아, 늦어서 미안하다. 기다렸으니 조금이라도 공부하자."

나는 술 마신 티를 내지 않으려고 노력하면서 수업을 했다. 어떻게 수업을 마쳤는지도 모르겠다. 그날 밤에는 술 기운에 머리가 너무 아프고 힘들어서 머리카락을 쥐어뜯어가며 밤새 괴로워했다.

그날 이후로 가급적 지나치게 술을 마시지 않도록 노력한다. 어쩌다 과음을 한다고 해도 그 당시를 회상하면서 늘 정신을 바짝 차린다. 깨달은 바가 있다. 은사님과의 정 때문에 자리를 계속 옮기며 무리를 했지만 마음을 굳게 먹고 정신을 집중하면 쉽게 몸이 흩트려지지 않을 수 있다는 것을. '일체유심조一切唯心造' 즉, 세상사 모든 일은 마음먹기에 달려있다.

3장 도전하면 성취할 수 있다

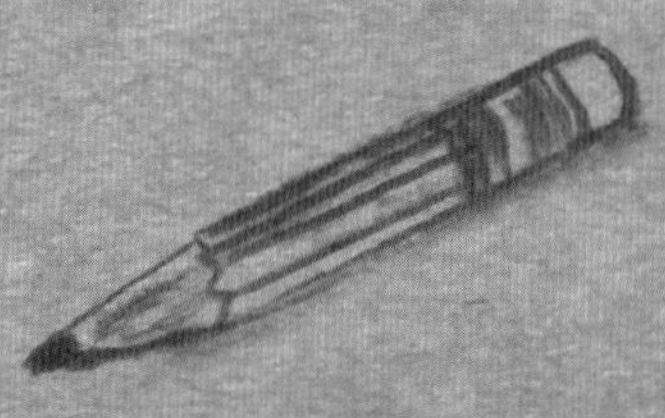

누군가는 / 이창호

누군가는
걸어야 합니다
남들이 가지 않는 그 길을!

모두가, 정해진 답안을 외우고 있을 때
누구가는, 새롭고 높고 아름다운 것을 창조해야합니다
그렇지 않으면 우리네 인생은
무기력과 권태를 피할 길이 없을 것입니다

모두가 저것이 빛나 보인다고 말할 때
누군가는 이것이 더 소중한 것이라고 말해야 합니다.
그렇지 않으면 우리는 마음의 가난을 벗어날 수 없을 것입니다

모두가 자신의 머리를 채우려고 필사적일 때
누군가는 대중의 가슴을 채우려고 애써야합니다
그렇지 않으면 이 세상은 컴퓨터로 가득차고 말 것입니다

모두가 승리한 자들을 치켜세울 때
누군가는 달려가는 자들을 격려해 주어야합니다
그렇지 않으면 승자들만이 고개를 빳빳이 들고 다닐 것입니다

누군가는 걸어가고 있습니다
남들이 가지 않는 그 길을
외롭지만 힘차게
지금 이 순간에도

불가능의 확률

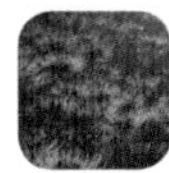

나보다 실력이 한 수 위인 선배와 탁구 시합을 종종 했었다. 그간의 실적을 보면 대부분 내가 지는 경기였으므로 실력 차이가 난다고 볼 수 있다.

어느 때인가 시합에서 15:20으로 지고 있었다. 내가 한 포인트만 잃으면 경기가 끝나는 순간이었다. 시합을 역전할 수 있을까? 불현듯 과거에 읽었던 '브리스톨' 교수가 쓴 〈신념의 마력〉이란 책이 떠올랐다.

강렬히 원하는 것은 무엇이든지 반드시 실현된다는 내용이다. 내가 승리하려면 지금부터 한 점도 잃지 않고 연

속해서 7점을 얻어야 했다. 지금까지의 실적으로 보면 거의 불가능한 일이었다. 하지만 한번 해보자고 스스로 다짐하고 포기하지 않았다. 한 점 한 점 최선을 다했다. 심호흡하며 마음속으로 승리를 기원했다.

'해보자, 한 번 해보자.'

내가 서브를 넣을 차례였다. 그런데 연거푸 5점을 얻어서 20:20이 되었다. 이제 2점만 얻으면 역전할 수 있는 상황이었다. 서브가 상대방으로 넘어갔다. 여기서 한 점이라도 실수하면 끝장이었다. 그런데 나 스스로도 믿기 어려운 일이 벌어졌다. 결국 2점을 더 얻어서 22:20으로 승리한 것이다. 신념은 마력을 가지고 있음을 확인한 경기였다.

리우 올림픽에서도 비슷한 일이 벌어졌다. 그 주인공은 바로 펜싱 경기를 했던 박상영 선수이다. 점수는 10:14였다. 남은 시간은 1분 41초이고 1점만 실점하면 경기는 끝나는 상황이었다. 대부분 선수는 이럴 때 마음을 다잡지 못하고 지는 경우가 다반사라고 알고 있다. 그런데 기적 같은 일이 벌어졌다. 15:14로 역전한 것이다. 무엇이 이 선수를 승리하게 했을까?

계속해서 중얼거린 한마디 '나는 할 수 있다. 할 수 있다' 라는 주문이 있었다. 통계학자들이 계산한 바로는 박 선수가 10:14에서 승리할 확률은 '0.7%' 라고 했다. 불가능을 가능케 한 힘은 할 수 있다는 신념이었다.

살아가면서 우리는 많은 역경을 맞이한다. 그리고 "모든 일은 마음먹기에 달렸다"라는 말을 자주 듣는다. 자기가 바라고 생각하는 대로 인생은 나아가게 된다. "나도 할 수 있다"라는 자신감을 가지고 꾸준히 노력하는 자에게 승리의 월계관이 주어질 것이다. 인생은 의지의 투쟁이므로.

한 장의 기적

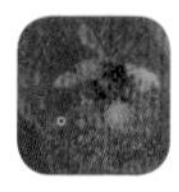

한국교원단체연합회에서 시행하는 교육자료전이 있었다. 내가 출품한 자료가 지역 예선에서 우수작으로 평가받아서 전국대회 출품자로 선정되었다. 출품작의 주제는 '생활영어 향상을 위한 멀티용 컴퓨터 보조 학습자료'였다. 컴퓨터 보급 확대와 더불어 컴퓨터를 활용한 학습 자료가 유행하던 시기였다.

기쁜 일이었지만 걱정이 앞섰다. 그 당시 내가 사용하던 컴퓨터는 겨우 286 컴퓨터라서 속도가 느렸다. 또한 승용차가 거의 없던 시절이라 서울 발표장까지 컴퓨터를 운

반하는 일도 어려운 일이였다.

'어떻게 할까? 어찌하면 좋을까?'

생각에 생각을 거듭하다가 우연히 TV를 봤다. 아파치 컴퓨터 광고가 나오고 있었다. 검은색의 세련된 디자인이 매우 마음에 들었다. 밑져야 본전이라는 생각을 가지고 컴퓨터 회사 측에 편지를 썼다.

"귀사의 무궁한 발전을 기원합니다. 이번 자료전 전시회를 서울에서 하는데, 귀사의 아파치 컴퓨터를 이용할 수 있다면 저에게 크나큰 영광이 될 것입니다. 수상작은 1주일 동안 전시가 되기 때문에 일반인이나 관심 있는 교원들이 많이 찾아와서 관람하게 됩니다. 자연스럽게 귀사의 컴퓨터가 전국적으로 홍보가 될 것입니다. 컴퓨터 홍보 전단지도 전시품 앞쪽에 놓아둔다면 큰 도움이 되리라 생각됩니다. 이번 전시회에 귀사의 멋진 컴퓨터가 선보이기를 간절히 바랍니다. 귀사가 더욱 승승장구하기를 소망합니다."

혹시나 하는 마음으로 기다렸는데, 며칠 후에 컴퓨터를 제공해주겠다는 연락이 왔다. "야호!" 하고 마음속으로 환호성을 질렀다. "두드리면 열린다"라는 말처럼 꿈같은 일이 실현된 것이다.

서울 발표회장에 갈 때 딸랑 CD 한 장만 갖고 콧노래 부르며 상경했다. 도착해보니 완전 신형인 멋진 컴퓨터가 자리에 놓여있었다. 내 작품을 시연할 컴퓨터가 모든 컴퓨터 중에 군계일학群鷄一鶴이었다. 출품한 자료를 자신만만하고 당당하게 심사관들 앞에서 설명하고 시연하였다. "자기 주도적으로 생활영어를 듣고 따라 할 수 있으므로 영어 실력 향상에 도움을 준다"고 했다. 성적 결과는 당일 오후에 발표했는데, 외국어 교육 분야 1등급이었다. 아울러서 교원이라면 한 번쯤 받고 싶어 하는 '푸른 기장증' 도 받게 되었다. 최상의 등급을 받은 이유는 아마도 '작품 + 발표 + 멋진 PC' 3가지가 시너지 효과를 발휘했기 때문이라 여겨진다.

어떤 일을 추진하는 데 있어서 많은 생각을 하게 된다. 하지만 그 생각을 실천하는 경우는 흔치 않다. '잘 안될 걸. 괜히 했다가 창피한 일만 당할 거야. 시간만 낭비하는 헛수고일 걸' 등등 자기 혼자 부정적으로 생각하고 안 하는 쪽으로 결정한다. 하지만, 하려고 하면 방법이 백 가지고, 안 하려고 하면 핑계가 백 가지다. 가능할 거라는 마음가짐을 다지고 질문하면 해결책은 분명히 있다.

지금 어떤 문제가 있는가? 부정적인 편견을 가지고 미

리 포기해서는 안 된다. 적극적이고 긍정적인 마음으로 누군가에게 물어보고 과감히 문을 두드린다면 멋진 해결책이 마련될 것이다. 도전하지 않고 시작하지 않으면 아무것도 얻을 수 없다. 배 떠나간 뒤에 손 흔드는 사람보다는 출발하기 전에 입을 여는 사람으로 기억되고 싶다.

평생교육원장으로 새 출발

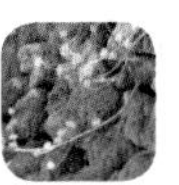

좋아하는 일인가?
잘 할 수 있는가?
가치 있는 일인가?
도전할 수 있는 일인가?

핵심인재평생교육원 원장직 제안을 받고 스스로 질문하고 자신을 돌아보았다. 교직 생활을 하는 동안 다양한 분들과 만남을 통해서 소통하며 좋은 관계를 맺어 왔다. 500여 명의 멘토들에게 자문을 받을 수 있고, 필요한 사람

들과 연결하여 도움을 제공 할 수 있는 기반도 마련했다. 보유하고 있는 강사 풀을 활용하여 새로운 프로그램을 제공한다면 지역 주민들의 삶의 질도 높아질 것이다.

취업을 원하는 이에게 일자리도 제공할 수 있는 좋은 기회이므로 '즐겁고 성실하게 창의적으로 운영하자' 라고 다짐했다. 평소 존경해오던 분의 제안이라 잘해야 한다는 부담도 있었지만 땀 흘린 만큼 결실이 있다는 마음으로 새 출발하였다.

일자리를 제안하신 분은 '효사랑가족요양병원' 병원장이다. 원장님과의 만남은 2011년이므로 6년 전으로 거슬러 올라간다. 내가 속해있는 리더스클럽 회원들이 독서토론을 할 수 있도록 기꺼이 작은 도서관을 무료로 대여해 주셨다. 원장님도 직접 독서토론에 참여하였고 효사랑 가족들도 독서를 통해서 더욱 성장하도록 독려하기도 했다. 확고한 철학과 가치관을 가지고 말보다 실천이 앞서는 분으로 섬김, 배움, 키움, 나눔의 실천가이다. 평생교육원을 개설한 목적은 "병원 가족들의 역량을 강화해서 고객들에게 질 높은 서비스를 제공하고, 지역사회 주민들에게 유익한 교육 프로그램을 제공해서 삶의 질을 높이는 데 있다"는 것이다. 기업의 이익을 사회에 환원하여 선순환을 이루게 하려는 선한영향력의 정신이다.

핵심인재평생교육원은 고용노동부 지정 훈련기관이다. 실업자들에게 일정 기간 동안 교육을 실시하고 자격을 취득하게 하여 사회에 진출할 기회를 제공한다. 실업자의 교육비는 국비 지원을 받는데 등급별로 차이가 있다. 고용보험에 가입한 재직자도 교육을 받을 수 있다. 비정규직은 교육비가 무료이고, 정규직은 80%의 지원을 받는다. 국비 지원을 받기 위해서는 '내일배움카드'를 발급받아야 하는데 고용노동부 직업능력지식포털 사이트 (www.hrd.go.kr)에 가입하여 신청할 수 있다.

현재 교육원에서 국비 지원을 받아서 운영되는 과정은 캘리그라피, 원예활동지도사, 화훼장식기능사, 프랑스자수가 있고, 컴퓨터 과정은 컴퓨터활용능력, 포토샵과 워드, 그리고 파워포인트를 활용한 사진편집 과정이 있다.

일반교육과정은 코딩교육, 모바일활용 홍보마케팅, 컴퓨터 기초, 독서지도사, 상상력을 키우는 상형문자놀이, 냅킨아트지도자, 한국사 등이 개설되어 있다. 앞으로 평생교육 차원에서 소수가 원하는 과목도 개설하여 교육생들의 요구를 충족시키고 삶의 질을 높이는 교육원이 되고자 한다. 특히 문제해결능력과 창의력을 키우는 코딩교육은 2018년도부터 학교 교육과정에 편성되기 때문에 이에 적합한 지도자를 배출하는 역할도 할 것이다. 여러 기관에서 필요로 하는 맞춤형 교육 프로그램을 제공하여 종사하는

구성원들의 역량 강화를 위해 기여하는 평생교육원이 될 것이다.

100세 시대를 맞이하여 누구나 평생 동안 배우고 익혀야한다. 교육은 개인이나 단체의 경쟁력이 된다. 배우고 익히면 즐겁지 아니한가? 익힌 재능을 남에게 베풀 수 있다면 보람 있는 일이 아닌가? 취업해서 새 출발을 할 수 있다면 행복하지 아니한가?

캘리그라피 수강생 중에 두 자녀를 둔 엄마가 있다. 교육을 받으러 오는 화요일과 목요일만 되면 가슴이 설레고 즐겁다고 한다. 자신이 무척 배우고 싶었던 분야를 만난 것이기 때문이다. 또 다른 이유는 3월에 생일을 맞이하는 아들을 위해 직접 배운 글씨로 동화책을 만들어 주고 싶기 때문이다. 간절한 목표가 있는 배움이기에 신바람이 나는 것이다. 그분이 오는 날에는 일부러 강의실에 들어가서 인사를 나누는데, 밝은 얼굴을 보면 나도 덩달아 기분이 좋아진다. 배움으로 누군가 행복할 수 있다면 그 얼마나 놀라운 축복일까?

사진은 순간의 포착

사진은 찍는 솜씨보다, 현실을 직시하고 올바르게 파악하는 순간 포착의 시각이 더 중요하다.

나는 사진 동아리인 '전주사진연구회'에 가입해서 활동하고 있다. 주요 활동을 살펴보면 격년제로 해외 출사를 나가고, 2년 마다 사진전시회를 개최한다. 최근에는 열두번째 사진 전시회를 개최했는데 주제는 '미얀마의 자연, 그리고 사람들'이었다. 내가 동아리에 참여한 시기는 2008년도부터 인데, 출사를 위해 방문한 국가는 호주Australia, 티베트Tibet, 라오스Laos, 그리고 미얀마Myanmar이다.

기억에 남는 사진 몇 점을 소개한다.

봉황의 유영 (2010.1.26.)

2010년 1월 26일에 비행기로 시드니에서 브리즈번으로 가는 중이었다. 창밖을 보니 커다란 새가 유유히 헤엄쳐가고 있었다.

내가 더 예뻐요 (2014.1.4)

2014년 1월 4일 라오스 몽족 마을을 방문했다. 길을 지나다가 보니 방문객들이 건네준 과자 봉지를 들고 있는 아이들이 보였다. 그때 옆집 여자애가 자기도 찍어 달라며 고개를 빼꼼 내밀고 있는 모습이 귀엽다.

자연의 신비(2012.1.1.)

티벳가는 비행 도중에 잠에서 깨어 창밖을 바라 보았다. 새벽 햇살이 막 떠오르는 순간이다. 고산의 설경과 끝없는 기암 절경들 그리고 피어오르는 구름 등의 모습이 한눈에 들어왔다.

행운의 요정 (2015.11.26.)

엄청난 폭설이었다. 한 치 앞도 내다볼 수 없을 정도로 눈발이 마구 휘날렸다. 지금까지 살아오면서 겪은 최악의 순간이었다. 부모상을 당한 친구의 빈소를 다녀오던 중에 찍었다.

사랑의 미로 (2015.8.14)

모처럼 짬을 내서 아내와 딸과 함께 여수로 가족 나들이를 갔다. 레일바이크를 타고 터널을 통과하는데 앞서가는 커플과 하트 표시가 잘 어울린다.

자비의 등불(2014.7.21.)

전주 수목원을 둘러보던 중 발견한 연못에 핀 연꽃이다. 마치 산사에서 불을 밝히는 연등처럼 아름다운 자태였다. 먼저 소형 '똑딱이' 카메라로 찍어두었다. 작품이 될 것 같아서 주차장으로 달려가 DSLR 카메라를 가져왔는데 이미 젖은 꽃잎들이 다 흩어져 버렸다. 순간을 놓치면 어쩔 수 없는 것이 사진이다.

사진이란 빛의 예술로써 사진은 의사소통과 기록이라는 언어와 문자의 구실을 하는 소중한 도구이다. 돌아보면 지금까지 주관적이고 창의적인 사진보다는, 다분히 회화적이고 미의식에 치중된 사진만 찍어 왔다. 외국의 전문 사진작가들은 지구 구석구석을 누비면서 빈곤과 전쟁 그리고 자연재해 등을 취재해 얻은 작품을 통해 인류의 평화와 행복을 위해 공헌하고 있다. 나도 지금까지의 내 스타일을 벗어나 자연의 보고인 생태계의 모습을 카메라에 담고 싶다.

잉

사진은 현실에서 어떤 의미를 발견하고 채집한

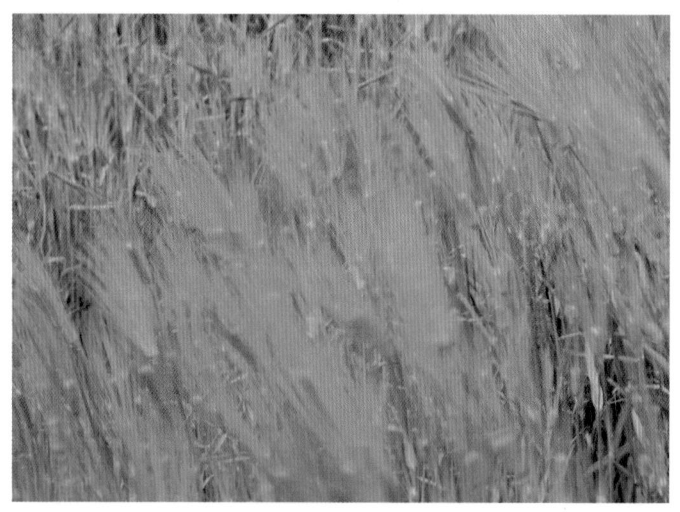

현실의 한 조각

여행은 걸어다니는 독서

교사 시절에 미국 샌디에이고로 3주 동안 어학연수를 다녀왔다. 1월인데도 반바지를 입고 조깅할 정도로 따뜻한 곳이다. 어느 날 연수생들과 함께 주류를 판매하는 카페에 들어갔는데 주인장이 다가와서 신분증 조회를 요청했다. 확인 대상이 된 분은 30대 중반의 대학교수였는데 키가 작고 얼굴이 앳돼보여서 미성년자로 보였던 것이다. 그때 여권을 소지하지 않고 있었기에 다시 숙소에 갔다 와서 자리에 합류할 수 있었다.

그 곳에 머무르면서 겪었던 부끄러운 이야기를 살짝 하

겠다. 주말에 자유여행을 계획해서 아름다운 바닷가로 알려진 'Cornado Beach'에 가려고 네 명이 승용차 한 대를 임대했다. 그 당시는 내비게이션이 없던 시기라서 차를 몰고 가다가 걸어가는 이에게 물어보았다. 알려준 방향으로 한참을 달렸다. 충분히 도착하고도 남을 만큼 시간이 경과 되었는데 목적지가 보이지 않아서 다시 길을 물어보았다. 알고 보니 완전히 반대 길로 달려온 것이다. 밖이 어느새 어둑어둑해져서 그날 일정은 해프닝으로 끝났다. 왜 그런 일이 일어났을까? 나중에 알고 보니 'Cornado' 대신에 'Cololado' 가는 방향을 알려 준 것이었다. [r] 발음을 [l] 발음으로 들었던 것인가? 그때의 사건으로 인해서 [r]과 [l] 발음에 신중을 기하는 계기가 되었다.

3주 동안 정말 많은 것을 보고 느꼈다. 교수들도 티셔츠에 청바지 차림으로 편한 복장이다. 형식에 얽매이지 않는 그들의 자유분방함이 좋아 보였다. 미성년자들에게 주류를 절대 판매하지 않는 것도 두 눈으로 보았고, 엄격히 법을 준수하는 시민의식을 알게 되어 부러웠다. 선진 국가가 될 수 있었던 건 그냥 저절로 된 것이 아니라는 사실을 확인했다.

라오스는 2014년 새해 첫날부터 7일 동안 방문했다. 2시간의 시차로 인해 첫날에 하루 26시간을 보내려니 꽤 벅

찼다. 둘러본 곳은 수도인 '비엔티안'과 '루앙프라방' 그리고 '방비엥'이다. '루앙프라방'은 전 도시가 유네스코 문화유산으로 등재되어 있는 곳이다. 과거 불교 문화유산의 흔적이 거의 변형되지 않고 대부분 그대로 보존되어 있기 때문이다.

라오스는 불교국가로 승려를 존경한다. 승려들은 아침 식사 공양을 하러 새벽에 길가로 나오는데, 형편이 어려움에도 주민들은 길가에 줄지어 앉아서 지나가는 스님에게 따뜻한 마음으로 음식을 나눠준다. 요즘은 외국인들도 '탁밧' 체험에 참여하여 성황을 이루고 있다.

라오스는 왜 행복지수가 높은 나라일까? 우리와 비교하면 환경이나 건축들이 열악하기 그지없다. 내가 어렸을 때 살았던 마을보다도 더 낡았고 간단하게 지어진 집들이 많다. 가난한 삶 속에서 미소를 띠며 편안하게 살아갈 수 있는 비결은 무엇일까? '공수래공수거'의 불교 문화 영향일까? 현세보다는 내세를 바라는 마음일까? 대부분 너나 나나 할 것 없이 형편이 어렵기 때문에 비교해보아야 거의 큰 차이가 없기 때문일까? 그냥 존재하고 살아있음에 감사하기 때문일까?

라오스는 세 가지가 없다. 자동차의 빵빵거리는 경적, 이웃과 다투는 싸움소리, 그리고 바다이다. 내륙에 위치해 있으므로 바다가 없는 것은 경제에 커다란 마이너스이지만 다른 두 가지가 없는 것은 이상적이다. 자신을 위해서 크게 욕심 부리지 않고 이웃과 사회에 대해서도 별 불만이 없으니 자연스레 행복지수가 높을 수밖에 없는 것이다. 시간은 한국과 2시간 밖에 차이가 나지 않는데 40년 전의 우리 모습을 찾아서 떠난 여행이 되었다. '적게 가져도 행복해질 수 있다는 건 얼마나 놀라운 축복인가'를 생각하게 한 뜻깊은 해외 나들이였다.

"독서는 앉아서 하는 여행, 여행은 걸어 다니는 독서!"라고 한다. 여행을 통해서 각기 다른 언어와 습관 그리고 문화를 이해하므로 불필요한 오해와 갈등을 줄이고 바르게 소통할 수 있다. 해외 나들이 기회를 자주 만들어서 오감을 자극한다면 생기 넘치고 활기 가득한 삶을 누릴 수 있으리라.

학생님

적게 가져도 행복해 질 수 있다면 그 얼마나 놀라운 축복인가

학생님

높이 날아

멀리 본 위도의 꿈나무

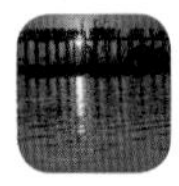

파도가 넘실거리고, 붉게 물든 노을 위를 하얀 갈매기가 은빛 날개를 펼치고 춤을 추는 곳. 하얀빛을 자랑하는 위도 특유의 상사화가 있고 해질녘에 노을빛을 받아서 영롱하게 빛나는 모래언덕 해당화도 피어있다. 이곳이 바로 아름다운 섬마을 위도이다. 하지만 남다른 아픔도 간직한 곳이다. 방폐장 유치의 갈등이 남아있고, 1993년 위도페리호 침몰 사건으로 가족을 잃은 상흔이 서려 있는 곳이기도 하다.

내가 섬마을 위도와의 인연을 맺은 것은 2007년 9월 1

일이다. 위도중고등학교 교장으로 첫 발령을 받아서 1년 6개월 동안 근무했다. 주말에도 용왕님이 노하시면 꼼짝없이 뭍으로 나갈 수 없는 곳이다. 평일은 주야로 섬에서 생활했기 때문에 "3년 근무한 것이나 마찬가지다"라고 말하곤 한다. 이제는 웃으며 말할 만큼 추억이 많이 깃들어 있는 곳이다. 그중에서도 특히 전교생과 함께 해외 나들이를 했던 필리핀 방문은 특별했다.

섬마을에 생활하는 학생님들은 대부분 외부와의 접촉이 적기 때문에 바깥 환경에 낯설어하고 적응하기 힘들어 한다. 그런 학생님들에게 시야를 넓히고 견문의 기회를 제공하기 위해서 국제교류 시범학교 지정을 받았다. 2007년 10월 16일부터 20일까지 4박 5일 일정으로 필리핀 바기오 시에 있는 자매결연학교 '램란트 국제학교'와 '발룽가오 통합학교'를 방문하게 된 것이다. 학생님들의 비용 부담은 전혀 없이 예산지원을 받아서 이루어졌는데 높이 날아 멀리 볼 수 있는 절호의 기회였다.

자매 학교에 전달하려고 준비한 물건은 중고 컴퓨터 2대와 과학 기자재였다. 공항에서 기증품이라고 여러 번 얘기해도 트집을 잡고 돈을 요구하며 통관을 시켜주지 않았다. 어쩔 수 없이 2000페소를 지불한 것은 아직도 남아있는 씁쓸한 기억이다.

바기오시청을 방문하여 시장님을 만나기로 약속한 날이다. 버스에 앉아 있다가 기념품을 방안에 두고 온 생각이 났다. 그래서 성급히 호텔에 들어가서 물건을 챙기고 발걸음을 재촉했는데, 갑자기 무언가에 부딪혀서 쓰러져 잠시 기절했다. 출입구 유리창이 너무 깨끗하여 보지 못하고 박치기를 한 것이다. 일어나 보니 눈썹주위에서 콸콸 빨갛게 피가 흘러내리고 있었다. 호텔안내원이 달려오고 얼음을 가져와서 찜질을 해줬다. 그런 상황 속에서도 나로 인해서 일정이 어긋나서는 안 되겠다는 생각이 들어 즉시 전화를 했다. 급한 일이 생겨서 동행할 수 없으니 오전 일정을 차질 없이 진행하라고 했다. 자매학교 교장 선생님에게만 알렸는데 그분이 인근에 있는 병원을 소개해 주어서 여덟 바늘을 꿰맸다.

오후에 직원들을 만났을 때 반나절 사이에 변한 내 모습을 보고 모두 어안이 벙벙한 인상이다. 그곳 병원은 공교롭게도 살구색 반창고가 없어서 흰색으로 붙였기에 상처 부분이 더욱 튀어 보였다. 눈 주위가 부어서 인상이 험악해져 다소 멋쩍기도 했다. 학생님들에게 안전을 우선시하라고 당부하고서 본인이 다쳤으니 할 말이 없었다. 하지만 안전사고에 경각심을 줄 수 있으니 액땜을 한 것이라고 얼른 생각을 전환했다. 오후부터는 예정대로 일정에 참여했다. 상처에 덧이 나지 않도록 씻을 때도 매우 신경 쓰였고, 불편한 시간이었다. 아무튼 서두르면 그르친다는 교훈을 몸소 배웠다.

램란트 국제학교에 방문해서는 학생님들이 준비해간 사물놀이를 선보였다. 아마도 모든 액운이 악기 소리를 타고 멀리멀리 날아갔을 것이다. 재학생 중 40%가 한국에서 유학 온 학생님들이었으니 고국의 소리를 듣고 반가움도 느꼈으리라.

발룽가오 통합학교도 방문했다. 내가 1960년대 다녔던 초등학교보다도 더 시골스러운 학교였다. 그래서 오히려 정감이 가기도 했다. 2년제 유치원과 6년제 초등학교, 그리고 4년제 고등학교로 구성되어 있었다. 학생님들은 이곳에서 홈스테이 체험을 했는데 시골 생활과 문화를 이해할 수 있는 좋은 기회였다. 학생님들은 함께 식사하고 같이 잠을 자더니 금방 친구가 되어서 잘 어울려 다녔다. 식사를 같이하면 식구가 되고 잠자리를 같이하면 가족이 되는가 보다.

바기오에서 정 교장 선생님은 성공한 교육자로서 존경받는 분이다. 그는 서울 강남지역에서 체육 교사로 근무하다가 목회자인 형님이 필리핀에서 활동하는 관계로 학교 사업을 도와주기 위하여 과감히 사표를 내고 필리핀에 정

착하였다. 한국학교에서 재직 시에 평교사지만 항상 '내가 교장이라면' 이라는 생각을 가지고 어려운 일이나 힘든 일을 도맡아 했기에 인정을 받아 승진의 기회가 있었지만 연연하지 않고 새로운 세계에 당당히 도전한 것이다.

그가 처음 필리핀에 도착했을 때 학교 건립 기금을 마련하기 위하여 운수업과 관광업을 시도하였으나 필리핀 실정에 밝지 못하여 실패를 거듭했다. 그리고 그 실패를 교훈 삼아 지역사회 인사와의 관계를 돈독히 했고, 성실과 정직을 토대로 주변의 신임을 받아 오늘의 학교를 건립하였다. 내가 방문했던 시기에는 바기오 국제학교와 발룽가오 통합학교를 3일씩 오가며 2개 학교를 경영하고 있었다.

글을 쓰다가 연락하여 안부를 물으니 현재는 대학까지 설립하여 이사장직을 수행하고 있다고 한다. 한국에 오면 차 한잔 나누자고 제안했더니 귀국하면 만나자고 한다. 우리 국가를 위해서 국위선양의 본보기가 되는 분이다. 자랑스러운 한국인으로 오랫동안 기억하고 싶다.

필리핀에서의 체험 덕분에 도서벽지에서 생활한 우리 학생님들이 한국인으로서 자부심을 느끼게 되었다. 영어의 필요성을 실감했으며, 해외여행에 대해 멀게만 느끼고 막연하게 불안감을 가졌던 학생님들이 이제는 혼자서도 할 수 있겠다는 자신감을 갖게 된 것은 커다란 수확이다.

남과 잘 어울리지 못하던 내성적인 학생님들도 사교적이 되었으며 "더 오래 이국땅에 머무르고 싶어요"라고 한 학생님도 있다. 해외 나들이의 효과를 확실히 확인할 수 있었다.

현재의 생활에 적응하지 못하고 자존감이 부족한 학생님들이 늘어가고 있다. 이들에게 다소 형편이 어려운 국가에 나가서 체험을 하게 한다면 거듭나서 돌아오리라 확신한다. 국가나 지방자치단체에서 학생님을 대상으로 해외 봉사 및 연수 정책을 과감히 확대해야 한다.

SIA Glass

학생님

옴마니반메훔

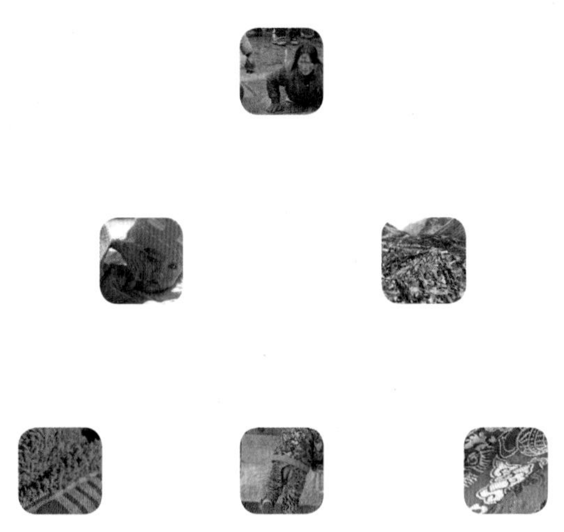

세상의 끝 오지, 히말라야의 품 안에서 신을 숭배하고 종교적 믿음으로 환생을 기원하며 살아가는 이들이 있다. 티베트인들은 가장 높은 곳, 신들의 언덕에서 가장 낮은 자세로 생활한다. 신을 향한 기도와 고행의 연속. 숨이 멎을 것만 같은 고지대에서도 오체투지(몸의 다섯 부분인 이마, 두 팔, 두 무릎을 땅에 대고 하는 절)가 하염없이 이어진다.

'옴마니반메훔'은 티베트 불교에서 보살을 소환하는

주문이다. 보살을 소환하여 육도(천상, 수라, 인간, 아귀, 축생, 지옥)윤회를 종식하고, 열반으로 인도되기를 갈망한다. 동트기 전부터 주문을 외며 티베트인들이 몰려드는 곳은 모두가 간절히 선망하는 성지 라싸인데, 티베트인들의 평생소원인 성지순례를 위해 순례자들로 인산인해를 이룬다. 여름철에는 많은 외국 관광객들로 인하여 포탈라 궁 입장이 허용되지 않는다.

나는 7일간의 티베트 여행을 한 바 있고, 동행한 사람 중에 짧은 기간 동안 고산증세가 심각해져 병원에 실려 간 이도 있었다. 우리 모두 입맛이 없어서 제대로 식사를 못할 정도로 너무나 힘든 고행길이었다. 해발 5,200m인 에베레스트 전망대에서는 두꺼운 장갑을 낀 채로 셔터를 누르기가 불편하여, 불과 30여 분 정도 맨손으로 촬영하다가 오른쪽 손가락 다섯 개가 냉동실에 넣어둔 얼음과자처럼 완전히 꽁꽁 얼어버렸다. 몇 시간 지나니 새끼손가락에 물집이 생기고 탱탱하게 부풀어 올라, 한밤중에 현지 진료소에 가서 물을 빼내고 임시 진료를 받기도 했지만 별 도움은 되지 않았다.

귀국하여 3주 이상의 꾸준한 치료 덕에 새살이 돋아나고 훼손된 부분이 벗겨졌다. 히말라야를 얕보다가 하마터면 손가락을 잃을 뻔했다. 하지만 덕분에 히말라야를 정복한 산악인들에 대해서도 존경하는 마음을 갖게 되었다.

척박한 땅에서 순수하게 살아가는 티베트인들의 모습과 오염되지 않은 하늘과 암드로쵸 호수의 비경, 그리고 기암괴석이 절경을 이룬 대자연의 장대한 모습을 원 없이 마음껏 카메라에 담았다. 너무나 고생이 심하여 앞으로 티베트 겨울 여행은 절대 안 하겠노라고 날이면 날마다 다짐을 했건만, 그 생각은 벌써 어디로 가고 기회가 되면 다시 방문하고 싶은 마음이 슬며시 생겨난다. 그 이유는 신께서 주신 오늘 하루를 선물이라 여기고, 가진 것 없는 가난한 삶일지라도 행복하다 말하며 주어진 것에 만족하면서 살아가는 순수한 모습을 더 많이 보고 담아두고 싶기 때문이다. 끝으로 티베트인이 신봉하는 신이 정말 계신다면 간절히 기도하고 싶다. 티베트인들이 자신의 종교와 문화를 지켜가면서 자유롭게 살아갈 수 있기를…….

학생님

학생님

4장 배움은 새로운 기회이다

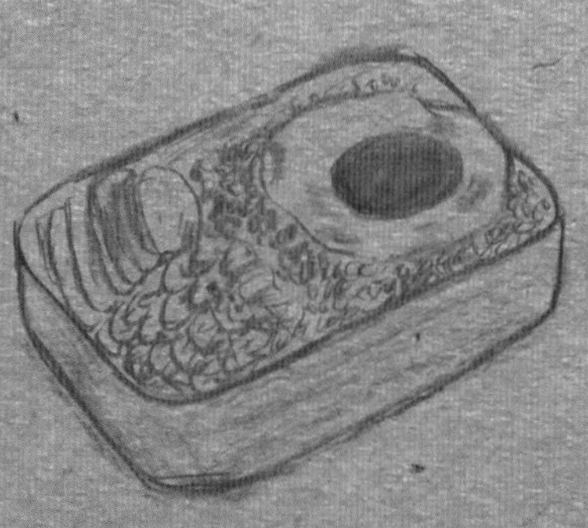

사람은 사랑한 만큼 산다 / 박용재

사람은 사랑한 만큼 산다
저 향기로운 꽃들을 사랑한 만큼 산다
저 아름다운 목소리의 새들을 사랑한 만큼 산다
숲을 온통 싱그러움으로 채우는
나무들을 사랑한 만큼 산다

사람은 사랑한 만큼 산다
이글거리는 붉은 태양을 사랑한 만큼 산다
외로움에 젖은 낮달을 사랑한 만큼 산다
밤하늘의 별들을 사랑한 만큼 산다

사람은 사람을 사랑한 만큼 산다
홀로 저문 길을 아스라이 걸어가는
봄, 여름, 가을, 겨울의 나그네를 사랑한 만큼 산다

예기치 않은 운명에
몸부림치는 생애를 사랑한 만큼 산다
사람은 그 무언가를 사랑한
부피와 넓이와 깊이만큼 산다

그 만큼이 인생이다

적성에 맞는

진로를 찾다

나는 중학교 3학년이 되었을 때 고등학교 진학 문제로 고민했었다. 내가 하고 싶은 일이나 꿈은 우선 내려놓고, 하루빨리 사회에 나가 경제적으로 자립하는 것이 우선이라고 생각했다. 조금은 일찍 철이 들었던 것 같다. 고등학교 입학 원서를 구입하기 위해서 난생처음으로 정읍에서 전주행 완행버스에 몸을 실었다. 시골 촌놈의 첫 나들이라 모든 것이 새롭고 낯설어서 많이 긴장했다. 지금 생각해도 오싹해지는 추위가 떠오르는 걸 보니 그 당시 많이 추웠었나 보다. 2시간도 더 걸려서 전주 버스터미널에 도착했고, 상당히 떨어진 학교까지 걸어가서 원서를 받았다. 그리고 저녁 무렵이 돼서야 집으로 돌아왔다.

1970년에 전주공업고등학교 전기과 학생이 되었다. 재학 중에 여러 가지 실습을 했었는데 그 당시 어깨가 으쓱했던 것은 직접 진공관 라디오를 조립을 해서 내가 만든 라디오로 청취한 일이다. 모든 것이 신기하고 재미있었다. 학교 성적도 우등상을 받을 정도로 괜찮은 편이었다. 하지만 시간이 갈수록 기술 분야에 적성이 맞지 않는다는 것을 깨닫고 대학을 꿈꾸기 시작했다. 원래 수학은 좋아했던 과목이라 걱정이 덜 되었는데 영어가 문제였다. 그래서 진학생을 위한 영어반에 들어가서 보충수업도 받았다.

그렇게 2학년 2학기부터 차근차근 준비하다가 교육대학에 진학했다. 어릴 때부터 아이들을 좋아하므로 교사가 적성에 맞겠다는 말을 자주 들었고 나 역시 관심이 많았다. 하지만 다니면서 정말 걸림돌이 되는 과목이 있었는데 그것은 바로 오르간 연주였다.

그 당시에는 정말 포기하고 싶을 정도로 힘들었던 과목이 있었다. 오르간 연주였다. 음악 수업을 하려면 교사가 직접 오르간 반주를 하던 시절이었다. 여학생들은 대체로 어렸을 때부터 피아노 레슨을 받는 경우가 흔했지만 남학생들에게는 멀게만 느껴졌다. 수업이 끝난 후 늦게까지 오르간 실에 가서 연습을 하곤 했다. 굳어진 손가락으로 연습에 연습을 거듭한 끝에 결국 학점을 받을 수 있었다. 나중에는 오르간에 익숙하지 않은 선배 선생님들의 음악 시간에 대신 들어가서 수업할 정도까지 되었다.

공부든, 음악 연주든 역시 불가능은 없다. 절실하게 해야겠다고 생각하면 몸과 마음이 적응하고 초능력이 발휘되어 할 수 있는 에너지를 발휘한다. 의무기간인 6년간의 복무기한을 마치고 중등학교로 옮겼기 때문에 오르간과는 멀어졌고 이젠 간단한 연주도 할 수가 없다. 어떤 일이든지 계속하지 않으면 사용할 수 없는 것이다.

나의 첫 발령은 1977년 9월 19일, 정읍군 옹동면 용호리에 있는 용호국민학교였다. 그곳에서 만난 아이들은 그야말로 순진무구한 산골 아이들이었다. 전체 학년이 6학급인 소규모 학교였다. 학급당 학생 수는 35명 정도였는데 나는 4학년을 담당했고 그 아이들을 데리고 5학년으로 올라가 연이어 담임했다. 그 애들의 나이가 딱 50인데 아직도 소식을 전하고 있다. 내가 퇴임을 한다고 두 번이나 찾아와서 추억을 되새기게 한 아이들이다. 첫 번째 담당한 애들이라 가장 기억에 남고 추억거리도 많다.

공고를 졸업하고 적성을 고려하여 교육대학에 진학한

것이 내 인생을 바꿨다. 재능이 없는 분야에 취직했다면 주눅이 들고 열등감이 생겨서 직장에 잘 적응하지 못했을 것이다. 요즘 청소년들의 진학상황을 살펴보면 성적에 맞춰 진학했다가 중도 휴학하거나 전과하는 사례가 빈번하다. 방황하고 갈팡질팡하는 학생님이 줄어들도록 자신의 취미나 적성에 맞춰서 진로를 선택하도록 안내하고 지도해야 할 것이다. 살아가면서 하기 싫고 못 하는 일을 억지로 하는 것처럼 고행의 일은 없을 것이다.

학생님

몰라도

전문가가 될 수 있을까?

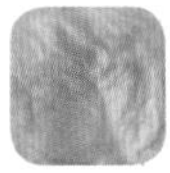

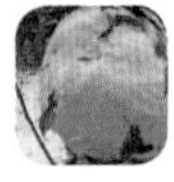

한 지인으로부터 설문지를 받았다. 농업 관련 법 조문을 제정하게 되었는데 초안을 보내온 것이다. 내용을 수정하고 기타 의견을 서술하는 형식이었다. 많은 분의 의견을 수렴해서 보완 하고 싶다고 했다. 10쪽이 넘는 분량이고, 내가 잘 알지 못하는 분야라 용어부터가 생소해서 부담되었다.

'어떻게 하지? 내 분야가 아니라서 거절해야 할까? 아는 만큼만 할까? 아니면 전문가에게 자문해서 해결할까?'

할 수 있는 방법은 여러 가지가 있다고 생각해서 일단 요청을 수락했다. 우선 내가 알고 있는 사람 중에서 그 분야의 전문가를 찾아보았다. 마침 독서토론에 자주 나오는 한 사람이 이 계통의 전문가라는 생각이 들었다. 즉시 전화를 해보았지만, 출장 중이었다. 가능하면 빨리 처리해야 할 일이어서 기관을 방문하여 설문지를 먼저 전달했다.

그는 토론 모임 때 작성한 설문지를 가지고 왔다. 내용을 살펴보니 몇 가지 의견도 제시하고 문제점도 적어 놓았다. '한 일이 열 일'이라고 이 일에 대해서 몰입하고 정성을 다한 흔적이 엿보였다. 즉시 깨끗하게 정서를 해서 제출하므로 책임을 완수하니 아주 홀가분했다. 그다음 날 그 설문지 작성을 요청했던 분을 만났는데, 내 도움으로 인해서 한 가지 법안을 수정하게 되었다며 고마워했다. 남의 힘을 빌려서 한 일이었지만 마음은 뿌듯했다.

자기가 할 수 없는 일은 "못한다"고 거절하는 것이 편할 수 있다. 하지만 내 주변에서 동원할 수 있는 인적, 물적 자원들을 찾아보고 활용하는 지혜도 필요하다. 그보다 앞서 해야 할 일은 다양한 분야의 사람들과 평소에 좋은 인간관계를 맺는 것이다. 여러 분야의 사람들과 소통하고 관계를 맺으려면 사회단체에 가입하거나 독서 동아리

등의 모임에 정기적으로 참여하는 것도 좋은 방법이 된다. 나는 2009년부터 '시민행동 21'이라는 NGO 단체에 가입해서 운영위원으로 활동하고 있으며, 2011년부터는 매주 토요일 새벽 '리더스클럽' 독서모임에도 성실히 참여하고 있다.

여러 분야의 사람들을 만나서 소통하고 관계를 맺음으로써 나의 재능은 기부하고, 나의 부족한 부분은 도움을 받아서 채울 수 있다. "주는 자는 주어서 좋고, 받는 자는 받아서 기쁘다" 이웃과 서로 주고받으면서 더불어 성장하고 변화한다면 아주 이상적인 상생의 인간관계가 형성될 것이다.

학생님

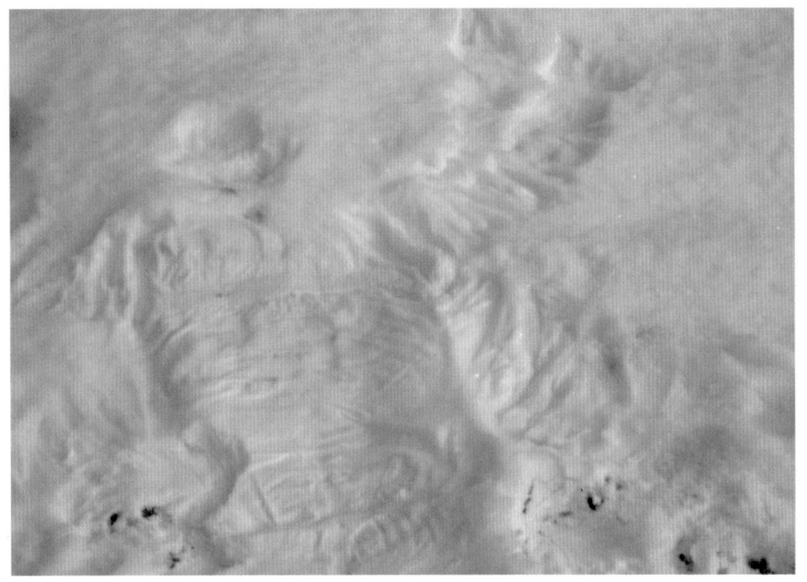

주는 자는 주어서 좋고, 받는 자는 받아서 기쁘다

첫 번째

독자가 되는 방법

단오절을 맞아 전주 덕진공원에 갔다. 공원에서는 쪽지에 소원을 적는 행사가 진행되고 있었다. 나는 그 앞에 서서 쪽지에 큰 글씨로 '나는 작가다' 라고 써서 공원 입구의 펄럭이는 줄에 매달았다. 만약 일정 기간 안에 글을 쓰지 못하면 딸아이에게 벌금을 내겠다고 선포도 했다. 결국 약속을 지키지 못해서 아이를 즐겁게 했다. 미루고 또 미루었다. 해마다 수많은 책이 쏟아져 나오는데 '내 책에 관심을 가질까' 하는 막연한 걱정도 앞섰다. 또한 나보다 훨씬 유명한 사람들도 책을 내지 않는데 내가 책을 낸다고 생각하니 위축되고 진도도 제자리걸음이었다.

그러다가 문득 생각을 바꾸었다. 책을 팔려고 생각하지 말고 그냥 1권만 출판해서 딸아이에게 선물하면 어떨까? 마음이 한결 편해지고 부담감도 덜게 되었다. 그런 내가 생각을 바꿔 책을 쓰게 된 사연이 있다. 희망나눔 전시회를 개최한 첫날이었다. 출판사 대표가 전시장을 방문했기에 잠시 한담을 나누게 되었다. 이야기 도중에 나눔 전시회가 감동스럽다고 하면서 내 책을 출판하고 싶다고 제안을 했다. 전시를 보고 호평을 해주어서 엉겁결에 구두 계약을 한 것이다. 원고를 쓰다 보니 보통 일이 아니다. 여러 꼭지를 보냈는데 채택된 것은 일부분이다. 독자들을 생각하고 있는 출판사의 입장은 내 생각과 다른 것이다.

책을 내겠다고 원고를 쓰다 보니 먼저 책을 출판하신 분들이 한없이 부럽고 존경스럽다. 산고를 치르는 것만큼 힘든 일이기 때문이다. 만사 제쳐놓고 책 쓰기에 몰입해야 한다. 책을 낸다고 하는 분들을 보면 동병상련同病相憐의 마음이 들어서 서슴없이 선 예약을 했다.

내가 처음으로 선 예약한 책은 '거절을 거절하라' 였다. 저자는 토요 독서토론에 참여하기 위해 멀리 서울에서 매주 금요일 저녁에 내려오곤 했다. 지극 정성이었다. 또한 좋은 책을 만나면 필사까지 한다고 했다. 그간의 성실함을

보아 좋은 책이 나올 것이라 여겨져, 무조건 선 예약을 했다. 비가 내리는 어느 날이었다. 선 예약을 했으니 첫 번째 독자라며, 저자가 사인한 책을 내게 가지고 왔다. 서울에서 장시간을 운전하여 온 책을 보고 감동했다. 작가들은 독자가 자신의 책에 관심을 보이고, 인정해주는 것에 무척 고마움을 느낀다는 것을 알게 되었다. 그 이후로 지인들의 첫 번째 구매독자가 되기로 했다.

전북대학교 평생교육원에서 독서지도를 했던 윤현주 교수가 '퀀텀리프' 책을 낸다고 해서 반가움에 예약을 했다. 감동언어전문가인 서윤덕 작가님의 '조력자의 힘' 도 첫 번째 독자가 되었다. 이선옥 예비 작가는 올해 3월 출판을 목표로 책을 쓰고 있기에 예약을 했다. 그녀는 건강진단 순위 86위였던 보건소를 2년 연속 전국 1위로 올려놓을 정도로 열정이 대단하다. 예약금을 받고 감격해서 교회에 감사 헌금을 했다고 한다. 이처럼 선 예약은 선순환을 이루기도 한다. 친구인 김영봉 박사가 그의 세 번째 책인 '매천 황현 시와 사상' 의 초고를 완성했다는 소식을 들었다. 즉시 선 예약했는데 책이 출판되자마자 첫 번째로 내 사무실까지 가지고 와서 전달했다. 720쪽에 이르는 전문서적을 내서 후학의 길라잡이 역할을 한 친구에게 격려의 박수를 보낸다.

책을 내는 엄청난 노고를 생각하면 사전 주문은 아주 소박한 격려라고 여긴다. 지금까지 선 예약한 책을 헤아려 보니 대략 30여 권이 된다. 책 쓰기가 불안하고 힘든 작가도 선 예약 덕분에 많은 에너지를 받게 되었다고 하니, 보람도 느낀다. "응원의 힘으로 출판을 끝까지 잘 마무리하게 되었다"는 말 한마디 듣는 것도 큰 기쁨이다. 책 쓰기는 성찰을 통해 지나간 일을 정리하고 반성하면서 다시 시작할 힘을 갖게 하는 마력을 갖고 있다. 앞으로도 글쓰기를 생활화하면서 책 출판에 도전하는 지인들에게 첫 번째 독자로 기억되고 싶다.

순두유

받는 상보다

더 행복한 상

학생교육원에 재직할 때의 이야기다. 즐거움과 기대가 있는 만남의 시간을 위해 월례회의를 계획했다. 회의의 첫 번째 순서는 시 낭독이었다. 직원들이 윤번제로 참여하도록 했는데 낭독을 한 사람이 다음 달에 실시할 사람을 지명하게 된다. 좋은 글을 통해서 감성을 키우고 마음을 정화하는 시간이 되었다. 회의의 마무리는 기대감을 갖게 되는 행운상 추첨이었다. 매월 4명 정도가 행운의 주인공이 된다. 행운 상품은 그릇, 목공예품, 다포茶布, 책, 과일, 토속품, 상품권, 복돈 등으로 다양하게 준비했다. 명절이 다가올 때는 좀 더 많은 직원들에게 기회가 가도록 다양하게 준비했다. 그중 가장 히트한 행운상품은 '반일 휴가권'이다. 딱 한 번 시상했는데 반응이 매우 좋았다.

특별한 상을 준비해서 직원에게 수여한 일을 소개한다. 한결같이 정성과 사랑으로 맡은 바 이상의 역할을 한 직원을 위해 준비한 상이다. 그는 학생님들이 입소하면 늦은 시간까지 계속 관찰하고 상담한다. 수련생이 교육원 생활에 잘 적응하지 못하는 경우에는 퇴소하고 돌아가더라도 계속 관계를 유지하며 격려하고 상담했다. 인사발령으로 다른 곳으로 옮겨 가게 되었는데 그 공을 기리고자 송별연 자리에서 '선한 영향력 상'을 주었다.

선한 영향력 상

학생을 우선으로 생각하는 배려와 봉사
직원을 아끼고 존중하는 마음
업무에 혼신을 다한 열정과 사랑
그윽한 향기 되어 아름답게 맴도네

그대의 선한 영향력이
함께하는 가족들에게 기쁨 주고

꿈터를 더욱 빛나게 했네

삶이란 해결해야 할 문제가 아니라
경험해야 할 신비이니
소망하는 큰 뜻 활짝 펼치고
함박웃음꽃 가득 피우소서

전라북도학생교육원 가족 일동

상은 마땅히 받아야 할 사람에게 주어질 때 가치가 있고 받는 사람도 보람과 자존감을 갖게 된다.

내가 교장과 원장으로 재직하는 9년 동안 꾸준히 한 일이 있다. 바로 교직원들의 생일을 챙겨서 축하해 주었다. 간단한 선물과 함께 다음과 같은 글을 쓴 코팅 카드를 건넸다. 처음에는 내가 선택한 책을 일방적으로 주었는데 나중에는 요령이 생겼다. 몇 권의 책과 물건을 제시하고, 그중에서 필요한 것을 스스로 선택하도록 했다. "생전 처음으로 직장에서 생일 선물을 받아본다"라는 말을 듣기도 했다.

〈카드 앞면〉

생신을 축하드립니다.
가정에서 웃음과 사랑이 가득하고
직장에서 보람과 기쁨이 충만하여
늘 행복하시기를 소망합니다

〈카드 뒷면〉

나는 지금까지 무엇하러 살아왔는가
인생의 좋은 벗님 만나려고
바로 당신

한 마디 덧붙이자면, 계획한 일에 대해서 만족할 만한 성과를 이루었을 때 나 스스로에게도 시상하고 싶다. 이 책을 마무리하면 나에게 해외여행 상을 수여하겠으며, 재능 기부나 나눔도 이어갈 것이다. 앞으로 가족이나 친구 그리고 지인들이 가치 있는 일을 완수했을 때 칭찬 상을 주어서 행복 가득한 좋은 관계를 유지하고 싶다. 살아가면서 받는 상보다 주는 상이 많아져서 아름다운 관계가 감동으로 이어지길 소망한다

함박웃음꽃 가득 피우소서

사랑 · 나눔 · 웃음꽃이 피는 황토방

꿈꾸던 황토집을 지었다. 대지는 150평이고 건평은 15평이다. 땅을 구입했더니 바로 집을 지어야 한다고 해서 깊이 생각할 겨를이 없었다. 우선은 황토방을 작게 지어서 가끔씩 쉼터로 사용하면 좋겠다는 생각을 하고 바로 착수했다.

2014년 1월 28일 드디어 상냥식을 하는 날이 왔다. 정월의 매서운 추위였지만 그래도 설렘을 안고 달려갔다. 글을 써야한다고 한다. 뭐라고 써야 할까 고민하다가 그림으로 표현했다. 생각은 내가 했고 그림은 아내가 그렸다.

♡ : 이웃과 사랑하며 살자

✿ : 꽃처럼 아름다운 향기를 나누며 살자

☺ : 웃으며 살자

이웃 주민들이 상냥에 그림을 그린 것은 처음 봤다며 참으로 독특하다고 한마디씩 했다. 방을 이용할 때마다 천정에 그려진 그림을 보면서 의미를 되새기고 싶다. 초심으로 돌아가자는 다짐을 하면서 방긋 웃을 수 있을 것이다.

집을 짓다 보면 자꾸자꾸 욕심이 늘어난다. 추가해서 방과 연결하는 데크를 설치했다. 뜨거운 햇볕을 가릴 수 있도록 데크 지붕도 했고, 딸을 위한 작은방도 만들었다. 마당에 잔디를 깔고 이곳저곳에 꽃이랑 나무도 심었다. 달나라에서 토끼 옆에 우뚝 서 있는 계수나무도 어렵게 구해서 두 그루 심었다. 계수나무는 늦가을에 향긋한 향이 일품인데 계수나무는 '시민행동21 꽃다지' 모임에서 나를 부르는 닉네임이기도 하다.

시골 땅을 구입해서 전원주택을 설계하고 짓는다는 것은 누구나 한 번쯤 꿈꾸는 낭만이다. 풀벌레들이 향연을 벌이는 푸른 숲 우거진 곳에서 뛰어놀며, 텃밭에서 싱싱한 채소를 수확해 가족과 함께하는 식탁은 환상적이다. 땅을 구입하고 설계하고 집을 짓고 이것저것 꾸미면서 대략 2~3년은 행복하다.

그러나 가끔씩 별장으로 이용하는 경우에는 관리 하는 일이 보통이 아니다. 겨울철에 아래층 수도관이 동파되어 온통 물바다가 되어서 마을 사람들이 물을 퍼내느라 수고를 끼친 적도 있다. 그 때문에 취수탑의 물이 바닥이 나서 주민들에게 불편도 주었다. 고로 겨울철에 집을 비워놓으려면 보일러를 외출로 가동해야 한다. 신경 쓰이는 게 한두 가지가 아니다. 저녁에 문을 열어놓을 수 없을 정도로 날아드는 벌레들과 친해져야 하는 건 물론이고, 마당 여기저기에서 우후죽순처럼 쑥쑥 자라나는 풀들과도 전쟁을

한바탕 치러야 한다.

하지만 가끔 답답한 도심을 벗어나서 숲이 있고 이웃이 있는 전원주택은 환상 그 자체이다. 모닥불을 피어놓고 함께 정담을 나누며 보내는 것도 멋진 일이다. 얼마 동안 글을 쓴다고 출판사 대표와 몇 차례 주말을 함께 지낸 적이 있다. 밤하늘을 수놓은 별 무리를 보고 환호성을 질렀다. 너무나 풍광이 좋다고 찬사가 대단하다.

요즈음은 너나 할 것 없이 모두 바쁘게 살아가는 게 일상이 되었다. 나중에 걸걸걸(참을걸, 베풀걸, 즐길걸) 후회하지 않기 위해서라도 쉼과 일을 확실히 구분해야겠다. 주변에서 일 중독으로 생활하다가 쓰러지는 사람들을 자주 보는데, 쉴 때는 확실히 여유롭게 쉬면서 재충전해야 할 것이다. 건강을 잃으면 다 잃게 되니 말이다.

집을 처음 지으면서 해프닝이 참 많았던 것 같다. 건축에 문외한이므로 내 생각은 조금 반영되고, 대부분 건축업자의 의견을 따라갈 수밖에 없었다. 그래도 집 한 채를 짓다 보니 건축에 대해서 조금은 안목이 생기고 많이 듣고 배웠다. 이젠 누군가 집짓기에 관해 물어보면 한마디 할 수 있게 되었다. 고 정주영 회장님이 즐겨하시던 "해보기나 했어"라는 말이 스쳐 간다. 나는 멋지고 스토리가 있는 두 번째 집을 꿈꾸고 있다.

사랑하고 나누며 웃음꽃 활짝 핀 멋진 집을 위하여!

사랑하며 나누며 웃으며

가장 감동적인 상장

옆의 상장은 2012년 9월 18일에 김제여중 2학년 학생이 손수 정성스럽게 만든 것이다. 나는 이것을 2년 뒤에서야 건네받았다. 한참이 지나서야 받게 된 사연이 있다.

김제여자중학교 교장으로 3년 6개월 동안 재직하다가 2012년 9월 1일자로 전북교육연수원장으로 발령을 받았다. 김제여중은 교장으로서 두 번째로 만난 학교였는데, 정성도 많이 쏟았고 학생들과 정도 많이 들었던 곳이다. 내가 학기 중에 학교를 옮겨가게 되어 이 학생도 아쉬움이 컸나 보다. 자신의 마음을 전하기 위해서 이 상장을 만들었고 당시에 재직하고 있던 조 선생님에게 전달을 부탁했다. 그 선생님이 계속 잘 간직하고 있다가 연수원에 교육을 받으러 왔다가 내게 전해준 것이다. 학생님이 직접 정성스럽게 만든 것이고, 2년간의 세월을 지나서 내게로 온 상이기에 퍽 인상 깊고 기억에 남는 상이다. 학생은 이제 대학생이 되어서 더욱 멋지게 대학생활을 보내고 있을 것이다. 더욱 아름답게 성장하여 나눔과 베풂의 희망이 되기를 바란다.

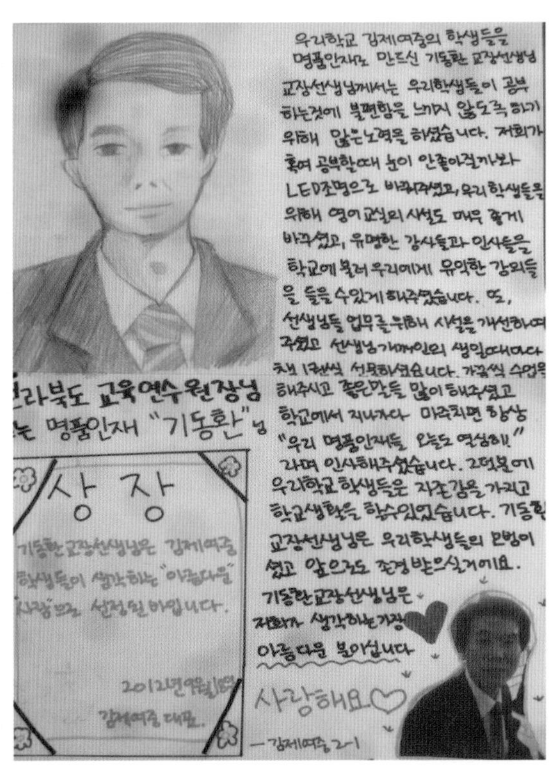

학생님

때밀이 봉사로 만난 인연

"등 좀 밀어주실래요?"

대중목욕탕에서 들어가서 자리를 잡고 앉아 있는데, 누군가 나에게 말을 걸었다. 요즘은 목욕탕에서 이런 부탁을 하는 사람이 많지 않은데, 그 부탁을 들은 나는 오히려 정겹고 고마운 마음이 들었다. 나는 곧바로 하겠다고 대답했다.

예전에 '1년에 어르신 20분 때 밀어 드리기' 목표를 세우고 목욕탕에 가서 실천한 적이 있다. 당시에는 어르신

에게 먼저 등을 밀어드리겠다고 말을 걸면 고맙다고 하면서 내게 등을 맡기셨다. 하지만 요즈음 경향은 대부분 혼자 하거나 아니면 세신사에게 요청하여 해결한다. 다른 사람이 밀어주는 것에 대해 달가워하지 않는 것이다. 그래서 내가 먼저 밀어드린다는 말은 점점 하지 않게 되었다.

대한민국의 목욕탕 문화는 색다르다. 발가벗은 채로 진솔한 만남을 가질 수 있는 기회이다. 소통하는 가운데 정이 싹트고 좋은 만남으로 이어져서 이웃사촌이 되기도 한다. 나는 다른 이의 등을 밀어주는 건 오랜만이라 신바람나게 정성껏 밀었다. 수건에 비누를 묻혀서 개운하게 마무리까지 해주었다. 이렇게 정성껏 손길을 보냈더니 관계가 좋아지고 신뢰도 구축되었다. 옆자리에 앉아서 계속 이런저런 이야기꽃을 피울 수 있었고, 이 분이 화학을 전공하고 발전소에서 근무하고 있다는 것을 알게 되었다. 내가 지금까지 멘토로 선정한 사람 중에 발전 분야에 종사하는 이는 없었다. 목욕탕을 나올 즈음에는 가볍게 통성명을 하고서 명함도 주고받았다. 나 자신에 대해 충분히 소개하고 나서 현재 5백 명의 멘토를 모집하는 중이라고 알렸다. 그리고 청소년을 위한 멘토 역할을 해줄 의향이 있냐고 물었더니 흔쾌히 하겠다고 응답했다. 나는 준비한 멘토 카드를 그에게 내밀었고, 결국 발전소 전문가를 멘토로 모시게 되

었다. 이웃을 만나게 되었는데 멘토 까지 얻은 의미 있는 날이었다. 메마른 세상에서 깔깔거리며 웃음보따리를 함께 펼칠 정다운 사람을 만난다면 행복하지 않겠는가? 누군가를 만날 때 사심 없이 대하고 진정성을 가지고 소통한다면 정이 싹트고 좋은 인연이 맺어질 것이다.

인연 / 피천득

어리석은 사람은 인연을 만나도 인연인 줄 몰라보고 보통사람은 인연인 줄 알아도 그 것을 살리지 못하며 현명한 사람은 옷자락만 스쳐도 인연을 살릴 줄 안다

명품자수 전시회

2011년 9월 5일 대구 인터불고 호텔에서 열리는 교육 연찬회에 참석했다. 잠시 주변을 둘러보다가 인터불고 호텔 로비에서 이색적인 전시회를 보게 되었다. 행운의 네 잎클로버 작품전시회이다. 무려 한줄기에 11개의 네 잎이 달린 작품도 있었다. 세계육상선수권대회에 참가한 선수들을 위해 마련된 전시회로써 전날 저녁에 폐막식을 끝으로 대회가 마감되었기에 작품을 철거하는 중이었다. 관심을 가지고 작품을 바라보고 있으니 작가님이 간단히 작품 설명도 해주었다. 그분의 장래 계획은 네잎 클로버를 좋아하는 유럽 국가에 가서 전시회를 개최하는 것이라고 했다. 그 자리에서 소품 액자 한 점도 선물로 받았는데 행운을 받은 것이나 마찬가지였다. 연찬회를 마치고 돌아와서 작품을 벽에 걸어놓았다. 귀한 행운을 받았으니 무언가 보답하고 싶어졌다. 작가님에게 전화해서 주소를 확인하고 전문 작가가 직접 그린 다포 한 점을 보내드렸다.

이것이 연결고리가 되어서 2012년 2월에 인터불고 갤러리에서 열리는 남북한 명품자수 전시회에 초대받았다. 자수에 문외한인 나 자신도 명품 자수를 살펴보니 그야말로 감동이었다. 한국에서 이름 있는 자수장들이 전시회를 보러 왔는데 작품을 보고 "환상적인 명품들을 보게 되어 한이 없다"고 하며 감격의 눈물을 흘렸다고도 한다. 또 "평생 자수를 했지만 전시품을 보니 감히 흉내 낼 수 없을 정도로 명품이라 스스로가 왜소하게 느껴진다"고 할 정도로 대단히 호평 받은 전시회였다. 소장한 사람은 한국 자수의 아름다움에 매료되어서 오래전부터 전통자수품을 모아온 수집광이다. 거의 전 재산을 다 바칠 정도로 푹 빠져서 전국 방방곡곡을 돌아다녔고 심지어는 북한의 자수까지 수집하였다.

전시회를 감상하고 집에 돌아오자마자 감동이 달아나기 전에 한편의 글을 썼다.

한땀 한땀 혼신을 다해 수를 놓아가는 정성
감히 누가 그리할 수 있을까?
옛 여인들만이 할 수 있었던
은근과 끈기의 우리네 여인들만이 할 수 있었던 일

감히 넘볼 수 없다고
너무 감격스럽다고
이곳저곳에서 달려온 자수장들의 감탄 소리
너무 감격에 겨워 흘리는 눈물

소리내어 시원하게 한바탕 외치고 싶다
정말 아름답구나
대단하구나
더는 표현할 길 없구나

세월의 흐름에 따라
더욱더 아름다움과 고고함을 더하는
마치 누에가 깊은 잠을 자고 막 깨어난 것처럼
아 아 그 멋스럽고 찬란한 모습이여

전시회를 관람하고 느낀 점이 참 많았다. 자수와 클로

버를 묶어서 통합 전시회를 열었으면 하는 희망을 갖게 되었다. 전주는 문화예술의 도시이므로 격조 높은 예술품을 감상할 기회를 시민들에게 제공하고 행운의 바람도 가져왔으면 하는 생각이었다. 실행이 답이므로 여러 사람에게 의견을 묻고 어느 기관에서 주최하면 좋을지 자문도 구했다. 예술성이 깃든 작품이니, 전통문화예술의 계승 발전을 위해서 교육가족들을 대상으로 하는 것이 좋겠다는 결론에 이르렀다. 그래서 '가고 싶은 학교 행복한 교육공동체' 실현을 위해 전력하는 교육감에게 말했다. 상당 기간 검토를 거친 후에 교육감으로부터 "혼과 정성이 깃든 예술 작품 감상으로 미적 감성을 키우고 고운 품성을 함양하는 데 기여하는 행사가 될 수 있겠다"는 답을 들을 수 있었다.

전라북도교육청이 전시회를 주최하게 되었다. 2012년 5월 19일부터 5월 27일까지 9일 동안 전북교육문화회관에서 '남 · 북한 명품 자수 및 행운의 클로버 초대 전시회'가 열렸다. 전시품으로 한국전통 자수 69점과 네잎클로버 60점이 선을 보였다. '모두에게 감동과 희망을' 이라는 슬로건에 걸맞은 감동적인 행사였다. 보고 스쳐 가는 전시회가 아니라 배움이 있는 행사로 진행하기 위하여 자수와 클로버에 관련된 행운의 퀴즈를 내서 당첨자에게 소품 액자를 선물로 주기도 했다.

품격 있는 행사가 되도록 몸과 마음을 모아서 정성을 쏟았다. 전시 기간 내내, 그동안 내 인생에서 가장 가슴 설레었던 날을 보낼 수 있었다. 방문한 학생이나 일반인이나 모두 다 행운의 기운을 받고 기쁨과 희망의 성취감을 가지고 돌아갔다. 한 땀 한 땀 장인의 정성이 깃든 자수 작품들은 우리에게 질문을 던진다. '우리의 삶도 한결같이 직조되고 있는지?' 행운의 네잎클로버가 묻는다. '행운을 얻기 위해서 지금 준비하고 도전하고 있는가?'

학생님

5장 멘토는 인생의 등불이다

누군가 행복 할 수 있다면 / 용혜원

나로 인해
누군가 행복 할 수 있다면
그 얼마나 놀라운 축복입니까

내가 해준 말 한 마디 때문에
내가 준 작은 선물 때문에

내가 베푼 작은 친절 때문에
내가 감사한 작은 일들 때문에

누군가 행복 할 수 있다면
우리는 이 땅을 살아갈 의미가 있습니다

나의 작은 미소 때문에
내가 나눈 작은 봉사 때문에

내가 나눈 사랑 때문에
내가 함께 해준 작은 일들 때문에

누군가 기뻐할 수 있다면
내일을 소망하며 살아갈 가치가 있습니다

생각을 바꾸면

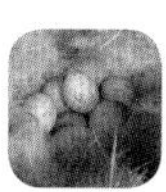

새로운 길이 열린다

교육원장으로 재직할 때 강사 발굴을 위해서 강연장을 자주 찾아다녔다. 그러던 중 지평선아카데미에서 특별한 분을 만났다. 우신산업개발의 국중하 회장이다. '생각을 바꾸면 새로운 길이 열린다'는 주제로 자신이 체험하고 시도했던 일들을 진솔하게 말씀하셨다. 감동적인 강의 내용으로 청중들의 많은 박수갈채를 많이 받았다. 국 회장은 우리가 흔히 관행이라고 여기는 것을 벗어나 홀로 자수성가했다. 국가 발전을 위해 아이디어를 제공하여 경제생활에 지대한 공적을 남기기도 했다. 우리에게 '어떻게 살아

야 하는가?' 에 대해서 삶의 방향을 제시해 준 명품 강사님이다. 강의 내용 중 가슴에 와 닿은 부분을 질문 형식으로 소개한다.

첫째, 유산 상속에 대해서 어떻게 생각하는가?

고등학교 2학년 수업시간에 "우리나라는 상속제도의 잘못으로 선진국의 자립정신에 뒤지고 있다"는 선생님의 말씀을 새겨듣고 천금 같은 교훈으로 삼았다.

나부터 그렇게 실천하리라는 결심을 하고 부모님께 상속을 거부한다는 중대한 결심을 말씀드렸다. 처음에 부모님은 사랑하는 막내아들의 말을 좀처럼 믿으려 하지 않고 허락도 하지 않았다. 확고한 소신을 보여드리기 위해서 방학 중에 서울로 가출하여 아르바이트를 했고, 자립을 위한 소중한 경험을 쌓을 수 있었다. 어느 날, 아버지는 상속거부 소신을 재차 확인한 후에 뜻을 접수했다. 그렇게 해서 스스로 자립하지 않으면 안 될 여건을 마련한 것이다.

둘째, 직장생활에서 공헌한 일은 무엇인가?

두 번째 직장인 현대 중공업에서 여러 가지 일을 담당했다. 가장 기억에 남는 일은 26만 톤 급 선박 제작이다. 그 당시 한국의 대형 선박 건조에 대한 평가는 외국으로부터 "어림없다"는 비아냥을 받았던 시기였다. 웅장한 선박을 건조한 기쁨은 말로 표현하기 어렵고 참으로 감개무량했다. 또한 서산 방조제 마무리 공사에서 빠른 유속 때문에 어려운 상황이었는데, 폐유조선 활용을 정주영 회장에게 건의하여 물막이 공사를 성공리에 했던 것도 보람 있는 일로 기억된다.

셋째, 여산재餘山齋를 짓게 된 동기는 무엇이고 어떻게 활용하고 있는가?

여산재는 자신의 호를 사용해서 지은 당호이다. 대형 선박을 건조한 후에 일본 기업의 초청을 받았다. 만찬 장소를 가는데 외딴 산중으로 가는 것이다. 나를 납치하려는 것인가 하는 의심이 들 정도였다. 도착해서 보니 회사에서 손님 접대를 위해 만든 집이었다. 번잡한 호텔이 아닌 조용한 개인 공간에서 정성이 담긴 대접을 받았다. 일본이 여러 분야에서 앞서 있는데 접대하는 문화도 우리가 뒤떨어진 것을 실감하였다. 앞으로 내가 사업을 시작하면 접대는 직접 지은 건물에서 하겠다고 다짐을 한 것이다. 그리하여 찾고 찾아서 지은 것이 완주군 동상면에 있는 여산재이다. 식사와 차를 대접하고 내빈 숙소로 사용하는 영빈관과 100여 명이 워크숍을 할 수 있는 강의장 겸 공연장이 있으며, 일반 단체 손님들이 저렴하게 이용할 수 있는 별관도 있다.

넷째, 새들에게 편지함을 기증한 사연은?

작은 편지함을 집 입구에 만들었는데 어느 날 바라보니 박새들이 들락날락했다. 그들이 보금자리로 활용하고 있던 것이다. 궁금하여 열어보니 예쁜 새끼들이 빼꼼히 바라보았다. 새들이 마음 놓고 살아가는 것이 무척 귀여웠고 반가웠기에, 편지함을 새들에게 기증하고 별도의 우체통을 만들어서 사용하고 있다.

다섯째, 사회 환원을 위한 활동은 무엇인가?

2001년에 여산 장학재단을 설립하여 매년 장학금을 지급하고 있으며, 초록우산 전국 어린이 재단(후원회장: 최불암)에서 수석 부회장직을 맡아서 봉사하고 있다. 전북에서 매년 27억 원 정도 기금을 마련하는 데 힘을 보태고 있다.

여섯째, 기업 경영의 철학은?

1987년부터 새롭게 배우기 위해 꿈에 그리던 자영 사업을 시작했다. 강조하는 말은 '가장 깨끗한 회사! 가장 경쟁력 있는 회사! 이익을 사회에 환원하는 회사!' 이다. "부실경영은 형법에도 없는 죄"라는 말을 가슴에 새기고 권한보다 책임을 중시하는 경영을 하고 있다.

일곱째, 삶의 목적과 생활신조는?

삶의 목적은 배움이다. "숨을 거둘 때까지 배워야 한다"는 소신을 가지고 학업에 정진하여 2002년 늦깎이 66세에 공학박사 학위를 받았다. 배운 만큼 기업의 성장과 발전을 위해서 기여하고 있다. 살아가면서 흔히 유혹에 빠지기 쉬운 것이 금전이다. 내 것인 것과 내 것이 아닌 것을 구분할 줄 알면 인생의 70%는 성공이라고 여긴다. 회사 카드와 개인카드를 엄격하여 구분하여 사용한다. 나는 강의 요청을 자주 받는데 지급 받는 강사비와 또는 정부로 받는 상금 등은 내 것이 아니라고 생각하여 자동적으로 기부하도록 한다.

나중에 알고 보니 회장님이 우리 아파트 같은 라인에서 살고 있는 주민이었다. 존경하는 멘토님을 가까이서 자주 뵐 수 있기에 자랑스럽다.

"생각을 바꾸면 새로운 길이 열린다", "현재 근무하고 있는 직장은 귀찮고 힘든 곳이 아니라 놀이터이고 꿈터이며 배움터이고 밥터이다"라는 말을 가슴에 새긴다.

학생님

Bird
POST

학생님

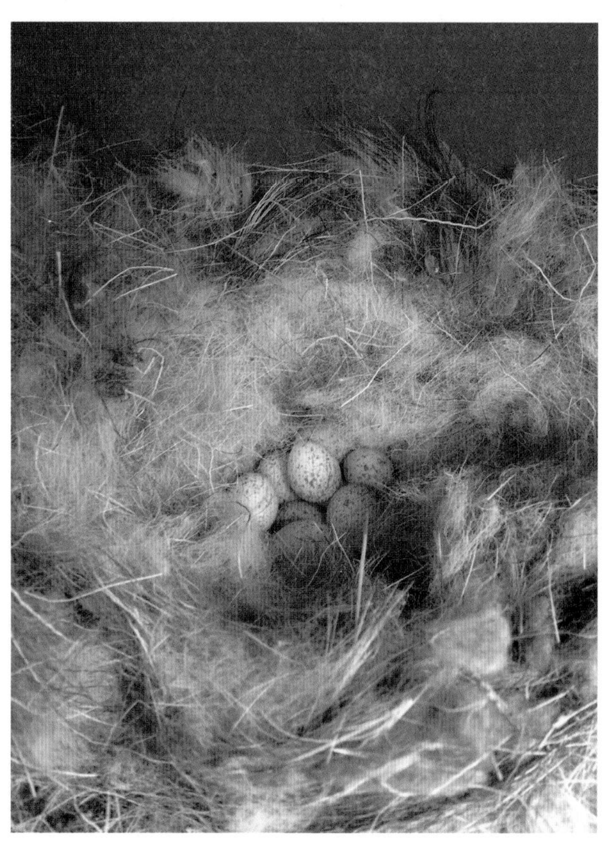

열 배 비 싼

수련도장

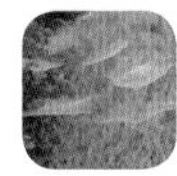

"국가란 국민의 생명과 재산을 보호하고, 국가를 수호해야 하며,

가장이란 자신의 가족과 재산과 자신을 지킬 수 있어야 한다"

근무지에서 매일 오가는 길에 허름한 이층집이 있다. 입구에는 '한풀마누'라는 간판이 세워져 있다. 쇠사슬 줄로 입구가 통제되어 있고, 출입금지라는 글귀가 걸려있는 곳이다. 한 번도 그곳에 기거하는 사람을 본 적이 없다. 귀

곡 산장 같은 으스스한 기분이 들어서 감히 들어가 볼 엄두조차 내지 않았다.

내가 지리산 자락에서 생활한 지 어느덧 1년 5개월이 지났을 때, 동료직원과 점심 후 산책을 하다가 호기심이 발동했다. 지원군이 있으므로 그곳을 방문하고 싶어진 것이다. 쇠사슬로 얽어맨 줄 아래로 들어가서 문을 두드렸으나 아무런 기척이 없었다. 문을 자세히 살펴보니 전화번호가 적혀있었고 연락을 했더니 받았다. 차분하고 여유 있는 음성이었다. 오늘은 미국에서 온 제자랑 만나고 있으니 다시 연락하자는 답변을 들었다. 일단 길은 열린 셈이었다.

그다음 주 월요일에 연락하고 정식으로 만나게 됐다. 건장한 체격에 눈빛이 살아있었는데, '대동 무'라는 무예의 최고 후계자로서 60년간 수련을 한 것이다. 60년대 서울에서 태권도 한 달 훈련비가 300환이라면, 이 대동 무는 3,000환을 받을 정도로 인정받는 무예라고 한다. 그리고 누구든지 대동 무를 배웠다고 하면 감히 겨루지 못하고 슬슬 피할 정도로 강도가 센 무예라고 했다.

그분이 이곳 시골까지 내려오게 된 계기는 IMF 시절로 거슬러 올라간다. 우리 전통무예인 택견 책을 편찬했는데 정부에서 갑자기 지원금을 받지 못했다고 한다. 우리 전통무예를 알리기 위해서 이왕이면 제대로 된 책을 만들겠다며 최고급으로 출판했다. 그 후 경제적으로 어려움을 겪게 되었고, 여러 가지 일까지 겹쳐 낙향하게 된 것이다. 이 책은 중요 '무형문화재 제76호'로 지정된 택견의 마지막 전수자 송덕기 선생이 타계하기 전에 1년 6개월 동안 직접 제작한 유일한 영상 자료로써 3,300매 이상의 사진으로 구성된 2권짜리 책이다. 만약 그 당시 작업이 이루어지지 않았다면 깊이 있는 택견 수련 자료가 우리 세상에서 사라졌을 것이다.

얼마나 대단한 무예이기에 비싼 교육비에도 불구하고 많은 수련생이 입문하는지 알고 싶었다. 무예의 가치를 직접 체험해 보고 나서 학생교육원의 교육에 접목하고 싶어서 무예 교육을 요청했다. 원래 초보자들을 교육하지는 않는다며 선뜻 허락하지 않았다. 하지만 거듭 부탁한 결과 교육원 직원 7명이 30일 동안 호신술을 익히게 되었다.

맨 처음 기본 동작으로 하는 것은 '기운나기'이다. 먼저 기마 자세를 한다. 그리고 손가락을 완전히 편 다음에 어깨에는 힘을 빼고 손가락에 힘을 넣어 앞으로 숨을 들이마시면서 천천히 내뻗는다. 내뻗은 손을 숨을 내쉬면서 조금 빠르게 가볍게 주먹을 쥐면서 허리춤까지 당긴다. 40회를 반복한다. 굉장히 기운이 나고 자세를 바로잡는데 좋은 기본 운동이다. 기본동작은 '양발을 좌우로 돌리기'이다.

이것이 원활하게 되면 양발을 돌리면서 양 주먹을 앞으로 내지른다. 발 회전을 하면서 주먹으로 공격하므로 굉장한 파괴력이 있다. 마치 망치처럼 굉장히 힘이 강해진다. 제자리에서 공격하는 것보다 더 멀리 손을 뻗을 수 있는 것도 장점이다. 상대방의 주먹 공격이나 흉기를 이용한 공격에 대해서는 기본동작으로 익혔던 손가락을 펴면서 팔을 내뻗는 동작으로 방어한다. 이 동작도 굉장한 힘이 생겨서 공격을 무력화시킬 수 있다.

참여했던 직원들이 이구동성으로 "덕분에 틈새 시간을 잘 활용해서 소중한 호신술을 익히게 되었다"고 말했다. 수련지도사 한 분은 교육이 끝난 후에도 계속해서 기운내기 동작을 한 결과 체력도 많이 좋아졌다고 한다.

교육활동에 있어서 "스승만 한 제자가 없다"고 한다. 좋은 스승과의 만남이 중요하다. 내가 지금까지 태권도와 합기도 등의 운동을 해봤지만, 이 30일간의 교육이 최고였다고 감히 말할 수 있다.

고고하게 자신이 좋아하는 일에 몰입해서 수련하고 무예 책을 출판하는 어르신을 만난 것은 내 인생 최고의 만남 중 하나이다. 그는 나의 영원한 멘토라고 가슴속에 깊이 새겨놓았다.

“두드리면 열린다”는 말을 다시금 되새겨 본다. 기회란 두드리고 도전하는 자에게 온다. 만약 귀곡 산장의 문을 두드리지 않았다면, 간청을 여러 번 하지 않았다면, 호신술 교육은 불가능했다. 알고 지내는 사람들에게 호신술을 익히라고 권하고 싶다. 자신의 건강한 체력을 유지하는 데 도움이 되고, 가족의 생명과 재산도 지킬 수 있다. 아울러서 자신의 생명도 지킬 수 있는 유익한 운동이다. 앞으로 스승님이 생각하고 바라는 ‘몸과 마음이 건전한 지도자’를 육성하는 영성학교가 건립되기를 염원한다.

학생님

학생님

80세 어르신이 배달한 선물

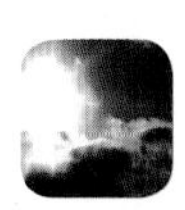

교장실을 나가다가 복도에서 우연히 어르신 한 분을 만났다.

"어떤 일로 오셨나요?"
"한글 학회지를 배달하러 왔습니다."

언뜻 보아도 80세는 족히 되어 보이는데, 적극적으로 활동하는 모습이 보기 좋았다. 나는 차 한 잔 대접하고 싶다고 말했고, 그분의 이야기를 자세히 듣게 되었다.

그분은 매월 한 번씩 자전거를 타고 비가 오나 눈이 오나 시내 학교에 가서 한글 학회지를 돌리고 있었다. 참으로 존경스러웠다.

"앞으로 학교에 오시면 행정실에 책자만 두고 가지 마시고 교장실에 들리세요."

이렇게 우리의 만남은 시작되었다. 월마다 한 번씩 뵙고 30분에서 1시간 정도 그분의 사연을 들었다. 여생을 멋지고 아름답게 사시는 분이었다. 다른 곳으로 옮겨가게 되어 멀어졌을 때도 전화 통화를 이어 나갔다. 가끔씩 찻집에서 만나서 애틋한 옛이야기를 듣곤 했는데, 매우 뜻 깊은 감동의 순간이었다.

그분의 사연은 이렇다. 그는 여성이 아침부터 저녁까지 집안일을 하는 것을 보고, 여성들의 아침 시간이라도 해방해서 여유를 줄 필요가 있다고 생각하여 전단지를 만들었다. 한마디로 '여성의 아침 해방 운동 캠페인'을 벌인 것이다. 1994년에는 총독부 건물 철거 서명을 받으려 다녔다. 추석 이틀 전인데 한 사람이라도 더 만나서 서명을 받으려고 급하게 자전거를 타고 도로를 횡단하고 있던 중이었다. 그 순간, 과속으로 달리던 택시에 치여 몸이 자전거와 함께 길가로 내동댕이쳐졌다. 병원에 입원했다가 "내 잘못도 있다, 괜히 부담 주기 싫다"고 하면서 제대로 치료를 받지 않고 하루 만에 집으로 돌아와 버렸다. 시간이 지날수록 몸이 굳어지고 허리를 움직일 수가 없었다. 3개월 만에 꼬부랑 할아버지가 되었으며, 차츰 악화되어 꼼짝 못하고 드러누워 지내는 신세가 되었다. 체념 상태로 지내던 어느 날 자신에게 빚보증을 부탁했던 사람이 암으로 투병하다가 세상을 하직하게 되었다는 소식을 들었다. 보증을 섰으니 내가 책임을 져야 한다, 돈을 갚기 위해서는 일어서야 한다는 마음으로 혼자서 재활훈련을 시작했다. 처음에는 내 발로 100미터만 가도 좋겠다고 생각했는데 그마저도 쉽지 않았다.

그때 그의 둘째 딸의 제안으로 단거리 마라톤 경기 출전을 목표로 삼게 되었다. 처음 시도할 때는 출발선에 서보지도 못하고 주저앉아 실망하기도 했다. 하지만 꾸준한 노력의 결과로 해가 지나면서 가까운 곳은 걸을 수 있게 되었다. 다시 단거리 마라톤 경기에 신청하고 도전했다. 완주를 해내는 것보다는 갈 수 있는데 까지 가보자는 마음으로 허리에 두 손을 받치고 엉금엉금 출발했다. 가다 보니 반환점에 도착했다. "이왕 여기까지 왔으니 조금만 더 가보자."라는 생각으로 발걸음을 내디뎠다. 한참을 오다 보니 웅성거리는 사람들의 소리가 들렸다. 결승점에 거

의 이르렀다고 생각하니 자신도 모르게 허리에 받쳤던 두 손을 번쩍 들고 뛰면서 만세를 불렀다. 기적 같은 일이 벌어졌다. 굽었던 허리가 펴졌고 아픔도 사라졌다. 6년 만에 재활에 성공한 것이다. 그 후로 여러 마라톤 대회에 참가하였고, 대회마다 최고령으로 기록되어서 자주 매스컴에 오르내리게 되었다.

건강이 회복되어 농사일도 하면서 보증 빚도 갚아가고 있다. 또한 학교마다 한글학회지를 방문하여 배달하는 일도 가능하게 되었고, 한글 쓰기 서명운동에도 적극적으로 참여하였다. 정말로 건강한 사회를 위해서 꼭 있어야 할 필요한 분이다. 이처럼 올곧은 생각을 가지고 열정적으로 실천하고 있는 어르신을 만난 것은 내 생애의 큰 보람이며 선물이다. 삶이란 항상 손해만 보는 것은 아니다. 받을 것을 생각하지 않고 아낌없이 주면 오히려 더 많은 얻게 되는 경우가 많다. 자신이 한 일에 대해서 확실하게 책임을 지는 사람들이 많아질 때 세상은 더욱 살기 좋은 낙원이 되리라.

학생님

힘내세용

훈장님

"원장님! 추천하고 싶은 강사가 있습니다. 요즘 강의를 듣고 있는데, 많은 사람들이 함께 들을 기회가 있으면 좋겠습니다."

지인으로부터 추천받은 강사의 역량을 검증하기 위해 개인레슨을 받기로 했다. 한자를 가르친다는 훈장과 만나게 될 장소는 커피숍이었다. 교육 시간은 토요일 독서 토론 직후인 9시로 정했고, 교육 방법은 질의 응답식으로 수업이 전개되었다. 먼저 인仁에 관해서 물었더니, 훈장의 대답은 이와 같았다.

인仁은 사람인人 자와 두 이二 자로 이루어져 있기 때문에 사람이 둘이라는 것이다. 두 사람이 정신적으로 완전히 하나가 되도록 사랑하는 것을 의미한다. 인의 핵심은 진심忠과 베풂恕이다. 인仁의 본성은 '생명을 살리려는 마음, 생명을 해하는 것을 차마 못 하는 마음, 죽어가는 것을 측은히 여기는 마음' 이다. 그렇게 홀로 검증 수업을 받다가 한자 인문학에 푹 빠지게 되었다.

나도 어릴 적에 짧지만 서당도 다녀봤고, 정규교육으로 한자 수업을 받았던 세대라 나름 한문을 익혔다고 생각했는데 차원이 달랐다. 마치 문리를 터득해서 도통한 사람처럼 느껴졌다. 훈장의 입에서 나오는 한자는 그냥 단순한 글자가 아니었다. 우주 만물의 이치를 한 글자 한 글자 풀어 갔다. 강의를 들을 때마다 감탄으로 열린 입을 다물지 못한 채 시간이 훌쩍 지나갔다.

한자는 무한한 세계를 볼 수 있는 놀라운 마법의 학문이라는 생각마저 들 정도였다. 아무리 퍼내도 마르지 않는 샘물처럼 늘 신선했다. 석 달간의 개인 레슨 내내 이토록 놀라운 수업을 다른 사람들에게도 소개해야겠다는 생각을 하게 되었다. 이후로 개인적인 모임에 훈장님을 초대해서 즉석 강의를 부탁하면 마치 준비되어 있다는 듯이 장소와 시간에 구애받지 않고 술술 풀어나갔다.

또 내가 참여하고 있는 독서클럽에도 소개했다. 코칭과 진로교육 전문으로 하는 '이앤유코칭센터' 이숙현 대표가 맛보기 강의를 잠깐 들어보더니 회원들에게 공지를 해서 수강생을 모집했다. 강의를 한번 들은 사람은 이렇게 다른 이들에게 추천하게 된다. 그렇게 매주 토요일에 정기적으로 강의를 듣게 된 지도 벌써 3년이 되어간다. 내가 첫 강의를 듣고 반했던 것처럼 수강생들 모두 계속해서 한자 수업을 받고 있다. 공부는 끝이 없으므로 앞으로도 계속 함께 하고 싶다.

옛날에 천자문을 배울 때는 막연히 쓰고 외우기만 했다. 훈장님과 함께한 천자문 공부는 매주 1회 여덟 자씩 학습해서 2년 6개월 만에 책거리를 했다. 참으로 가치 있고 소중한 만남이었다. 천자문의 깊은 뜻을 듣다 보니 이 책이 단순한 기초한자가 아니라 한문 공부의 요약본이며 정수가 되는 서적임을 알아가고 있다. 천자문을 주흥사가 하루 만에 썼다는 이야기도 흥미진진했다. 중국 양나라 무제의 명령으로 하룻밤 사이에 지어 올리느라 수염과 머리털이 희어졌다는 이야기가 전해져서 백수문白首文이라고도 한다.

실력 있는 학자가 세상으로 나와 더 많은 사람에게 옳

고 바른 가르침을 나누어야 할 것이다. 함께 공부하면서 변화되는 모습을 그려보는 행복한 상상은 즐겁기만 하다. 우리가 대충 들으며 살아왔던 한자 공부에 심오함이 존재하고 살아갈 지혜가 가득하니 놀랍기만 하다. 새롭게 알아낸 지혜와 가르침은 우리가 살아가는데 큰 지침이 될 것이다.

*고려시대 보문각대제학을 지낸 최양(포은 정몽주 선생의 생질)은 당시 학문과 덕망이 높았다. 조선건국 시 태조 이성계가 그의 인품을 높이 평가하고 자신과 함께할 것을 여러 차례 권유했다. 그는 완강하게 거절하고 낙향한다. 그리고 후손들에게 벼슬길에 나서지 말 것을 선포하였다. 이에 따라 후손들은 서당을 차려서 훈장으로 근근이 이어온 것이다. 그 자손 중의 한 분이 바로 위에서 언급한 최진식 훈장이다.

독서 모임이

희망이다

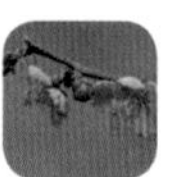

2011년 1월 29일은 내게 있어 특별한 날이다. 내가 리더스 독서토론에 첫발을 디딘 날이기 때문이다. 어느 날 아침 운동을 마치고 아파트 입구에 들어서는데 주간 신문이 놓여 있었다. 한 장을 집어서 집에 들어가 펼쳐보았다. 모퉁이 기사에 시선이 갔다. 독서토론 기사였다. 사람들이 아침에 모여서 독서를 한다는 내용이었다. 그간 독서를 혼자서만 하고 있었기 때문에 함께 하는 독서를 갈망하던 시기이기도 했다. 마음먹었을 때 시작해야 한다는 생각에 토요일 아침의 단잠을 포기하고 토론장으로 일찍이 출발했다. 밖은 캄캄했고 1월의 매서운 추위가 몸속으로 파고들었다.

6시 40분부터 시작하는데 너무 일찍 도착했다. 강의실에는 단 두 명만 있었다. 처음이라 낯설었는데 먼저 와 있던 조장이 살갑게 맞아주었다.

그날 선정도서는 '글쓰기 로드맵 101'이었다. 그날 약 40여 분이 참석한 것으로 기억된다. 전체 토론 진행자가 발제하면 조별로 팀장이 주관해서 토론하고 팀별로 의견을 발표하는 식이었다. 그곳의 방식은 한마디로 감동 그 자체였다. 그렇게 시작한 것이 벌써 7년째 이어지고 있다. 개근을 목표로 참여하고 있지만 의욕만큼 쉽지는 않다. 정말로 의욕적인 좋은 분들을 많이 만났다. 가장 헌신적인 분들은 회장과 부회장을 비롯하여 클럽의 운영진들이다. 특히 유별난 분은 '리더스클럽'을 2002년 5월부터 17년째 운영하고 있는 유길문 회장이다. 그의 꿈은 100, 100, 100이다. 100명의 회원이 모여서 독서토론을 하고, 100권의 책을 출판하고, 100세까지 계속하는 것이다. 현재 가입회원은 200명이 넘었다, 뜻이 있는 곳에 길이 있기 때문에 머지않아서 그 목표를 달성하리라 여겨진다.

나도 클럽의 일원이고, 리더스 미션을 함께 이행할 책

임과 의무가 있다고 생각했기에 회장님의 시너지 책쓰기 2기 수료생으로서 책을 쓰게 된 것이다. 100세까지 참여하기 위해서 방법도 모색했다. 혹시 나중에 마음이 변할까봐 100세까지의 회비를 38개월 동안 계속 선납하고 있다.

17년 동안 리더스클럽을 변함없이 지속하게 하는 힘은 무엇일까? 회장은 거의 앞에 나서지 않고, 항상 뒤편에 서서 고민하고 갈등하는 분들을 지지하고 궂은일에 앞장선다. 남의 장점과 강점을 파악해서 격려한다. 그야말로 자신의 시간과 배움을 아낌없이 기부하는 리더이다. 또한 서로 도움이 필요한 사람끼리 연결해서 더 큰 효과를 내도록 돕는다. 한마디로 사람들이 시너지를 내도록 기여하고 꿈과 비전이 있는 사람들이 소망을 실현하도록 돕는다.

자기보다 남이 잘되기를 바라는 이타 정신이 회원들의 마음을 사로잡아서 '책 향기 사람 향기'를 널리 퍼뜨리고 있는 것이다. 어느 곳에서 이처럼 영혼이 아름다운 분들을 만날 수 있단 말인가?

독서 모임은 내 인생의 터닝포인트였다. 새벽의 신선한 바람과 함께 열정의 온기를 느낄 수 있었고, 특히 수많은 책우들과의 만남을 통해서 아름다운 삶을 듣고 배울 수 있었다. 책우들은 성장통을 앓고 있는 청소년들을 위해서 기꺼이 멘토의 역할도 해주었다. 공직생활 중에 강사를 선정할 때에도 이미 검증된 분들이기에 쉽게 손을 내밀 수도 있었다.

독서는 인간의 정신을 풍요롭게 만드는 가장 좋은 방법이 된다. 내면에 경험, 지혜, 인물들을 간직할 수 있기 때문이다. 또한 나 자신에게 많은 질문을 던지게 한다. 내가 누구이고 어떻게 살아가야 할까? 삶의 목표는 무엇인가?

독서란 읽고 생각하고 쓰고 실천할 때 비로소 찬란한 빛을 발휘한다. 읽은 것을 함께 나눌 때 더 큰 깨달음을 얻을 수 있으므로 모여서 함께 독서 토론을 하는 것이 중요하다. 말보다 실천이 앞서는 독서가족으로 살아가면서 내 영혼의 소리에 늘 귀 기울이련다.

학생님

재미있게

살자

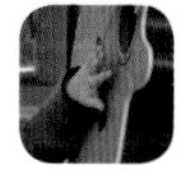

財美二ㅆ憩撒慈

재(財) : 최소한 생활할 수 있을 만큼 갖자 – 일은 즐겁다!

미(美) : 세상은 아름답다 – 긍정적인 자세를 가지자!

있(二ㅆ) : 두 사람(二 + 人人) – 사람들과 끊임없이 소통하자 – 혼자서는 살 수 없다!

게(憩) : 쉬엄쉬엄 여유롭게 살자!

살(撒) : 재능을 기부하자 – 일단 주자!

자(慈) : 사랑을 나누자 – 인간 최고의 행위는 사랑이다!

– 참착예생각연구소장님의 가훈

2012년에 '조수아 아카데미'에 참여했다. 수요일 아침 6시 30분에서 8시까지 열리는 새벽 강좌였다. "참착예(참되다〈진.眞〉, 착하다〈선.善〉, 예쁘다〈미.美〉) 생각 연구소"를 운영하는 송광용 교수와 함께하는 시간이다. 송 교수는 저녁형 인간이라 새벽 활동을 원하지 않는다고 했다. 하지만 추진 위원장이 여러 번 찾아가서 간청하여 어렵게 허락을 받았고, 덕분에 논리학 수업이 시작될 수 있었다.

조수아는 '좋은 수요일 아침'이라는 뜻이다. 배움에 열정적인 분들과의 만남과 정성을 다해 지도하시는 교수님의 강의가 너무 신선하다. 차츰 인기가 늘어남에 따라서 강좌 수도 늘어났다. 화요일은 철학을 기반으로 한 인문학 강좌, 수요일은 역사와 사상, 금요일은 영어강독 시간이다.

강의도 일품이지만 함께 하는 분들로 인해서 더욱 알찬 아카데미이다. 함께 수학하는 분 중에 치과 원장도 있는데, 학구열이 왕성하여 의학, 경영학, 심리학까지 박사학위가 세 개다. 온종일 쉴 틈이 없이 환자를 보살피면서 피곤할텐데 성실히 참여한다. 그는 "살아가면서 많은 의문과 갈증이 있었는데, 자신에게 청량제 역할을 하는 강의를 만난 것이 가장 잘한 일이다"라고 말하곤 한다.

또한 거의 세 강좌를 빠지지 않고 자리를 지키는 분이 있다. 제일 앞자리에 앉아서 흐트러짐이 없이 경청하시는 안과 원장님이다. '나쁜 기억은 왜 자꾸 생각나는가'의 저자이기도 하다. 그녀는 생각이 열려 있어서 자녀들을 글로벌 인재로 키우고 있다. 애들이 자력으로 홀로 설 수 있도록 품 안에 두지 않고 독립해서 공부시키고 있다.

요즈음은 참착예 아카데미에서 상생(생성)과 긍정의 철학자이며, 21세기를 밝힐 프랑스 사상가인 '질 들뢰즈 Gilles Deleuze'에 대해서 공부하고 있다. 그는 플라톤의 이데아Idea 사상과 헤겔의 변증법에 반론을 제기한다. 상상으로 만든 기준과 이상을 정해 놓고 이루지 못할 목표를 향해 가면서 현재의 생활을 희생하고 자신을 비하하고 있는 것에 대한 반론이다. 대부분 사람은 상상으로 만들어 놓은 이루지 못할 기준에 자신을 비교하면서 살아간다는 것이다. 높은 것에 대한 비교는 불행의 씨앗이다. 더 나아가, 들뢰즈는 차이의 철학자이다. 각자가 있는 그대로 자존감을 가지고 자신의 모습대로 살아간다면 모두의 삶은 가치 있고 소중하다. 남과 비교하지 말라는 의미다. 매 순간도 아름답다. 자신의 현재 모습을 인정하고 지금의 순간을 즐긴다면 삶이 훨씬 행복하지 않을까?

그의 수업은 기존의 학문을 그대로 답습하지 않는다. 끊임없이 새로운 철학 사조와 사상을 공부하고 정립해서 생각을 확장하게 하는 질문을 던진다. 또한 열심히 공부해

서 아낌없이 남 주는 것을 즐거워한다. 그의 행복은 무엇일까? 새벽에 동행하고 있는 분들의 얼굴을 보는 것이라고 한다. "같이 가면서同行 같이 행복하자同幸"는 것이다. "지혜는 자신이 모른다는 것을 아는 것으로부터 시작된다"는 말씀이 새삼 가슴에 다가온다.

학생님

자연에게 길을 물어볼까?

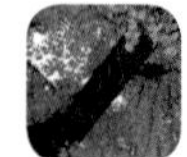

교사 연수가 있던 날이다. 점심시간이 되었는데도, 선생님들이 강의실에서 나오지 않았다. 한참 후에 나오는 분이 있기에 바라보니 눈시울이 붉어져 있었다. 무슨 일인가 싶어 들어가 보니 강사의 사인을 받으러 줄을 서 있었다. 대부분 3교시가 끝나면 점심시간이라 일찍 끝내 달라고 성화를 내는 경우가 많은데, 이날은 선생님들의 태도가 달라도 너무 달랐다. 몇 명의 이야기를 들어보니 강의가 감동의 울림이 있었다고 한다. 그 다음 강의 시간에 직접 청강을 했는데, 그 내용이 유익해서 공유해본다.

강사는 어느 날 지리산 자락을 걷다가 우연히 큰 오색딱따구리 한 쌍이 새끼를 키워낼 둥지를 막 짓기 시작하는 모습을 보았다. 그들이 둥지를 완성하고 알을 낳아 품고, 먹이를 날라 새끼를 키워내는 과정 전체를 관찰하기로 마음먹게 되었다.

생명과학 연구의 출발은 관찰이며, 관찰은 대상에게 가지고 있는 모든 것을 다 바치는 과정이라고 항상 수업에서 가르쳐왔다. 그것은 자신과의 약속이기도 했기에 스스로 부끄럽지 않을 기회로 삼았다. 큰오색딱따구리와 함께 하는 시간이 조금씩 쌓이며 인간적 욕심은 자연스럽게 애정으로 바뀌었다. 새들이 보여줄 모습에 대한 설렘과 기다림 속에 하루하루를 지내다 보니 마침내 관찰을 마무리하게 되었다. 50일 동안 하루도 빠짐없이 그들과 함께하며 예전에는 상상조차 못 했던 '새와 동행하는 삶'으로 바뀌었다.

강사는 50일 동안 새 둥지 옆에 허름한 위장 움막을 짓고 동이 트기 전 깜깜한 새벽녘부터 해가 져서 새들이 활동을 멈추는 시간까지 딱따구리와 동행했다. 그야말로 열악한 환경에서 어느 누구도 감내하기 어려운 고행길과 같았다. 그의 열정과 사랑, 학자로서의 집념으로 딱따구리의 짝짓기, 둥지 만들기, 알을 품고 부화하기, 먹이를 물어

다 새끼 키우기, 암컷과 수컷이 각각 몇 번 먹이를 제공하는지, 매나 까치 등의 외부 침입자로부터 어린 새들을 보호하기 위해 목숨을 내걸고 용감하게 공격하는 모습, 어린 새들이 비상해서 독립하는 전 과정을 관찰과 사진으로 생생하게 기록해서 "큰오색딱따구리의 육아일기"를 책으로 펴냈다.

책의 표지에는 큰오색딱따구리 한 마리가 배에 털이 뽑힌 채 나뭇가지에 앉아있는 사진이 있다. 딱따구리는 알을 품을 때 맨살로 체온을 전하기 위해 스스로 배의 털을 뽑아낸다고 한다. 그 배의 모습을 '포란반'이라고 하는데, '세상에서 가장 아름다운 무늬'라고 생각한다.

어린 새가 독립할 시기가 되었을 때는 먹이를 가져오긴 하지만, "이제 날아야 할 때"라고 가르쳐 주기 위해 며칠 동안 주지 않고 약간 떨어져서 유혹만 한다. 배고픔에 지친 어린 새들은 이윽고 둥지를 박차고 힘차게 비상을 한다. 만약 독립해야 할 시기가 되었음에도 계속 먹이를 제공한다면 어린 새는 어떻게 될까? 아마도 너무 비대해져서 날지 못하고 떨어져 목숨을 잃을지도 모른다. 혹은 계속 의존하게 되어 아예 날아갈 생각을 하지 않을지도 모른다. 결정적 시기를 놓치게 되면 제대로 역할을 하지 못하게 되어 생존에 어려움을 겪게 될 것이다.

큰오색딱따구리 부모 새는 자신이 가지고 있는 모든 것을 어린 새들에게 다 주고 있었다. 아무것도 되돌아오는 것이 없었음에도 때로는 자신의 생명을 버려야 하는 위협 앞에서도 전혀 머뭇거리지 않았다. 그들은 사랑이라는 것이 어떤 모습이어야 하는지에 대해서 분명히 알게 해 주었다.

세계 최초로 큰오색딱따구리 생애의 전 과정을 소상하게 밝혔다. 그가 바로 유명한 김성호 박사다. 자연은 위대한 스승이고 길이며 보고寶庫 임을 다시금 깨우쳐 주신 박사님께 아낌없이 박수를 보낸다. 큰 오색딱따구리가 새겨진 훈장을 드려야겠다. 그가 걸어온 길을 살펴보면, 세상은 참으로 넓고 할 일들이 참 많다는 생각이 든다. 나 역시 온 마음을 다하여 사랑할 그 누구를, 아니면 그 무언가를 꼭 만나고 싶다.

학
생
님

지리산에 숨어있는 문화 유산

지리산은 봄이면 바래봉의 철쭉, 여름이면 노고단의 풀꽃, 가을이면 뱀사골 단풍, 겨울이면 천왕봉의 눈꽃이 핀다. 해발 600에서 800고지가 건강 지역으로 소개되면서 노후에 가장 머무르고 싶은 곳으로 각광을 받고 있다. 지리산은 여러 설화와 다양한 토종 자원을 듬뿍 간직하고 있는 자연 생태계의 보물이다. 특히 동편제 판소리의 원조격인 송홍록을 비롯한 많은 소리꾼이 활동한 곳이다. 지리산의 소리판은 건강놀음이었다. 음양오행의 원리에 위장은 단맛을 좋아하고, 간은 신맛을 가지며, 심장은 쓴맛을 쫓아다니고, 폐는 매운맛을 즐기고, 신장은 짠맛을 관리한다. 소리꾼들은 이러한 음양오행의 원리에 어울리는 오장이 좋아하는 장단을 알아냈다.

단맛을 좋아하는 위장은 엇모리장단에 춤을 추고(단소리), 간은 신맛을 가져 자진모리장단을 좋아한다는 것을 오랜 생활의 경험을 통해 알아냈다(신소리). 그리고 쓴맛을 쫓아다니는 심장은 중중모리장단에 흥이 나고(쓴소리), 폐는 중모리장단으로 매운맛을 다스리며(매운소리), 신장은 진양조장단에 짠맛을 덜어 내고(짠소리), 오장 육부의 기운을 서로 이어주고 소통해 주는 삼초는 소리의 아니리와 같은 일을 한다는 것이다(잔소리). 개인의 건강 상태에 따라서 자신에게 맞는 장단을 맞춤형으로 선택해서 즐기면서 치유도 하는 일거양득의 기회를 누릴 수 있다.

지리산에 둘레길이 생겼다. 모두 22코스 총 285㎞이다. 가장 짧은 곳은 9.4㎞인 운봉에서 인월까지 2코스이고, 가장 긴 구간은 인월~금계 구간인 3코스로 19.2㎞이다. 대한민국의 대표적인 치유 숲길이다. 바쁜 사람은 가장 소중한 가정생활에서 실패한 사람이다. 많은 가치 중에서 가족, 여유를 중요한 일에 포함한다면 행복의 여신이 미소를 띠고 찾아올 것이다. 가족과 함께 친구들과 더불어

지리산 둘레길을 걸으면서 곳곳에 특색있는 맛깔스러운 음식도 맛보고, 풍류의 멋도 즐기면서 성찰과 치유의 시간을 마련하는 것도 긴 인생길에서 꼭 해야 할 일이 아닐까?

진정한 보물은 사람이다. 지리산에서 사라져가는 수많은 설화와 전통 음식, 약초, 그리고 사람들의 이야기를 끊임없이 찾아가서 배우고 간직하고 전하는 분이 있다. 지리산 문화자원 연구소장인 김용근 선생이다. 맥이 끊어진 동편제의 마지막 후손을 찾기 위해서 수원시에 있는 송 씨 가정을 가가호호 찾아다니다가 이상한 사람 취급을 받기도 했지만 결국에 그 맥을 찾아내서 이어지게 할 정도로 열정과 정성이 지극하다. 지리산 문화 지킴이와 알림이로 여전히 길을 나서고 있다. 자비를 들여서 여러 권의 비매품 저서를 발간하여 기록을 보존하는데도 열정을 쏟고 있다.

남과 다른 새로운 일을 하는 것은 쉽지 않다. 가족의 이해가 있어야 하고 주변의 따가운 눈총도 견뎌야 한다. 하지만 자신이 좋아하고 가치 있는 일이라면 감수할 수 있다. 지리산을 둘러보면 아름다운 자연뿐만 아니라 멋진 사람들이 참 많아서 신바람이 저절로 난다. 특히 지리산의 문화와 자원이 궁금할 때마다 문을 두드리면, 웃음꽃 머금고 나타나는 해결사가 있어서 참 좋다. 그의 문은 언제든지 활짝 열려있다.

학
생
님

옴

인생은 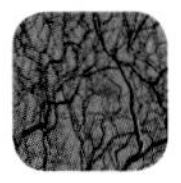 걸을 수 있는 만큼만 존재한다

섬진강 상류에 위치한 구담마을에 봄이 와서 모처럼 직원들의 체력단련 수련회를 실시했다. 구담마을에서 인근 천담마을까지 이어지는 3km 구간의 섬진강 변을 걸으면서 매화와 벚꽃이 어우러진 풍광을 감상했다. 이 좋은 시간에 '우리 땅 걷기' 신정일 이사장을 해설자로 모셨다. 그야말로 걷기 달인인데 말도 청산유수青山流水다. 구수한 입담 때문에 다리 아픈 것도 잊고 선경을 즐겼던 하루였다.

"산천을 유람하는 것은 좋은 책을 읽는 것과 같다"는 말처럼, 이 땅 어디를 돌아다니건 그곳이 다 도서관이며

살아있는 박물관이다. 여기저기 주변을 바라보면 온갖 세세한 것들이 전부 눈에 들어온다. 가까이엔 아주 작은 꽃들이 바라보이고, 멀리서 보면 산천의 모든 풍경이 한 폭의 그림이 되기도 한다. 이처럼 생기 왕성한 작품들을 도대체 어디서 생생하게 만날 수 있을까? 바라보는 순간마다 가슴이 벅차오른다.

"지식을 얻으려면 공부를 해야 하고, 지혜를 얻으려면 관찰을 해야 한다"는 말을 다시금 되새겨 본다.

'우리 땅 걷기 이사장'의 업적은 실로 대단하다. 10대강 도보 답사의 경력이 장거리 도로답사로 이어졌다. 매년 주제를 설정하여 2006년 섬진강, 2007년 한강, 2008년 금강, 2009년 낙동강, 2010년 영산강, 2011년에는 남강과 관동대로를 걸었다. 그리고 제주 올레와 지리산 둘레길, 남해 섬 진도와 순천만에서 강진으로 이어지는 해변 길더 걸었다. 이 모든 것은 '발의 힘'이다. 그런 의미에서 "인간은 걸을 수 있는 만큼만 존재한다" 걷기는 세상을 여행하는 가장 좋은 방법이다.

또한 그는 문화사학자로, 역사 관련 저술활동을 하는 작가이자 전국의 길을 손금 보듯 하는 도보 여행가이다. '걷기'를 통해 금수강산의 나무 한 그루, 풀 한 포기, 흙

한 줌까지 가슴으로 만났다. 30년간 온 산천을 두 발로 빠짐없이 밟아 '신 택리지' 전 9권을 완간했다.

평생 수만리 길을 걷고 또 걷고, 생각을 거듭하며 우리의 아름다운 산천인 뫼와 들과 강과 천의 길들을 두루 답사했다. 사라지고 잊혀갈 뻔했던 금수강산의 옛 자취들을 찾아내고 방향을 제시하여 다수의 풍류 길들이 복원되는 데 지대한 역할을 했다. 틈나는 대로 독서하면서 온 몸을 던져 치열하게 걷고 느끼고 자연을 사랑했던 신 선생에게 '길 위의 인문학 박사' 학위를 드리고 '자연대학교 총장'으로 임명한다.

학
생
님

500멘토의 힘

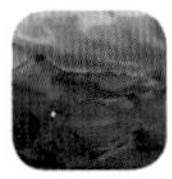

현대를 살아가는 청소년들은 갖가지 어려움에 직면해 있다. 마음에 상처를 받고, 안식처를 떠나 어둠 속에서 방황하는 이들이 늘어나고 있는데 가끔 극단적인 행동을 보이기도 한다. 하지만 청소년들이란, 누군가가 격려하고 보듬어야 할 대한민국의 미래이자 인재들이라는 사실은 변하지 않는다.

이들에게 멘토가 있다면 희망 에너지를 받아서 한순간의 방황을 잘 극복할 수도 있을 거라는 생각을 계속 해왔다. 격려와 응원을 통해 그들이 다시 시작할 힘을 얻게 된다면 삶의 큰 보람이 아닐까? 500명의 멘토를 선정하고 도움이 필요한 사람들에게 연결해서 희망을 줄 수 있다면 의미 있는 일일 것이다.

각계각층에서 종사하고 있는 많은 사람들을 직접 만나서 취지를 전달하고 동의를 받았다. 그분들이 직접 자필로 멘토 카드도 작성해 주었다. 갈수록 각박해지는 물질 만능시대의 부작용을 돌아보고 함께 도와가면서 마음 부자로 잘살아 보자는 취지에 공감한 것이다.

멘토를 활용한 사례가 있다. 아빠와 사는 한부모 아이의 친구 엄마로부터 멘토 요청이 들어왔다. "제 딸아이 친구에게 엄마 역할을 해줄 멘토가 필요해요" 나는 대답했다. "이 아이를 잘 알고 있는 분이 담당하면 좋을 텐데요?" "누가 가장 잘 알고 있을까요?" "제 딸과 그 아이가 친구라서 함께 여행한 적이 많아요" "그렇다면 가장 적임자는 바로 자모님이 아닐까요?" 내 말에 그녀는 흔쾌히 멘토 역할을 해주었다. 가족 상담을 할 때 엄마 역할을 해주면서 자주 대화를 나눴다는 것이다. 그 결과, 그 아이는 닫힌 마음 문을 열고 밝은 세상에 나와서 활기차게 생활하고 있다는 것이다.

또 하나의 사례는 고등학교에 재학 중인 여학생과 멘토의 이야기다. 학생은 병원에 입원하고 있었는데, 에너지 연구원이 되고 싶다는 꿈이 있다. 병원생활이 지속되면 마음도 약해지고 습관도 느슨해져서 타성이 생기기 때문에

과학 전문가이며 발명 특허를 여러 개 보유하고 있는 멘토를 연결해주었다. 그들은 두 차례의 만남을 통해서 의견을 나누었고, 관련 서적을 추천해 주었다고 전해 들었다.

이어서 시골중학교에서 20명의 멘토 요청이 왔다. 학생님들의 꿈을 고려하여 관련된 직업에 종사하는 사람들과 맺어 주었는데 궁금한 사항들에 대해서 적극적으로 소통 중이라고 한다.

성인들 간의 멘토 활동도 있다. 한 분이 개인 발표회를 개최하는데 "예술적인 사진을 찍어야 한다"고 추천을 부탁했다. 사진 전문가 멘토 한 분을 소개했는데 만족스러운 사진이었다고 호평을 받았다.

"아프면 소문내라"는 말이 있듯이 본인들이 당면한 문제나 어려운 점을 공개한다면, 그 분야의 멘토가 도움을 줄 것이다. 도시공동체가 형성되어 가려운 부분이 손쉽게 해결될 것이다. "우리 중 그 누구도 우리 모두를 합친 것보다 더 똑똑하지 않다"

500인의 멘토가 상호 간에 정보를 교환하면서 도움의 손길을 내밀어 희망을 나눈다면, 이 사회는 훨씬 밝아지고 살만한 곳이 되지 않겠는가? 멘토는 내가 '나' 답게 살아가도록 응원하고 격려하는 '촉진자' 이자, 꿈을 깨우고 키우는 '도우미' 이다.

행복 / 허영자

눈이랑 손이랑
깨끗이 씻고
자알 찾아보면 있을 거야

깜짝 놀랄 만큼
신바람 나는 일이
어딘가 어딘가에 꼭 있을 거야

아이들이
보물찾기 놀이 할 때
보물을 감춰두는

바위틈새 같은 데에
나뭇구멍 같은 데에

행복은 아기자기
숨겨져 있을 거야

에필로그

요즈음 청소년 중에는 마음을 잡지 못하고 방황하면서 성장통을 심하게 앓는 경우가 많다. 큰 잘못을 저지르면 학교 봉사를 넘어서 사회봉사까지 하게 된다. 하지만 대부분 시간 때우기 식으로 의미 없이 보내는 경우가 흔하다. 이렇게 방황하는 학생들과 함께하면서 책도 읽고, 고민도 나누고, 산책도 하면서 꿈과 희망을 품게 하는 역할을 한다면 가치 있는 일이리라. 학생님들이 원래의 선한 모습으로 돌아갈 수 있게 된다면, 내가 현재까지 국가로부터 받은 혜택과 빚을 조금이나마 갚는 일도 될 것이다.

마음의 상처를 입은 학생님들을 위해서 멘토를 선정해야겠다는 생각에 이르렀다. 지금까지 교육연수원에 출강한 강사들, '리더스독서클럽' 회원들, 그리고 관계를 맺어왔던 지우들과 선후배들이 흔쾌히 학생님들의 멘토로서 참여해 주었다. 지금까지 500여 명이 직접 자필로 멘토 카드를 적어주었는데 천군만마千軍萬馬를 얻은 듯 큰 힘이 된다.

나 자신도 '얼빛 디자이너'(정신이 아름답게 빛나도록 디자인하는 사람)로서 활동할 수 있는 자격을 갖추어 가고 있다. 한국교원대학교에서 1년 동안 수강하여 전문상담교사 자격을 받았고, 시민 로스쿨에 참여하여 청소년지도사 자격을 취득했다. 평생 대학에서 독서지도사 자격을 받았으며, 한국인성예절중앙연수원의 교육에 참여하여 인성예절지도사 자격도 취득했다.

학생님들과 함께 학습하고 생각을 나눌 학습공간을 위해 '얼빛 꿈터'를 준공하여 언제든지 함께할 준비도 했다. '얼빛꿈터'란 얼을 빛나게 하고 꿈을 키우는 곳으로 학생님들과 함께 학습하고 생각을 나눌 놀이터이다. 현재의 직을 마무리 하는 순간에 즉시 출항할 것이다. 건물 앞에 게시할 현판도 제작해 놓았다. 글씨는 세계적인 서예가이며 독특한 한글 서체를 개발한 여태명 교수(원광대학교 재직)가 써주었고, 현판 제작은 전통목침 분야의 기능전승자인 목우헌의 대표인 김종연 선생이 새겼다.

젊은이는 나라의 희망이며 보배다. 청소년들이 건강하고 아름답게 성장해야 국가의 미래가 밝아지기 때문이다. 내가 잠시 땀을 흘리고 시간을 투자함으로써 청소년들이 밝고 당당하게 살아갈 수 있다면 내 인생 최고의 보람이 되리라.

나는 "배움 질문 소통 나눔 실행에 가치를 두고 영원히 살 것처럼 꿈꾸고 성장하여 상처받아 어둠속에서 방황하는 이에게 따뜻한 가슴으로 희망을 전하고 영혼의 쉼터를 제공하는 얼빛디자이너"이다. 만남을 통해 활기찬 기운을 전하고 아름다운 이치들을 공유하면서 세상을 밝히는 작은 역할을 꿈꾸어 본다.

지난날 돌아보니 모두가 내 탓이고,
지난날 돌아보니 모두가 여러분 덕이더라.

* 출간에 도움 준 '시너지 책쓰기' 코치 : 유길문, 이은정, 오경미

* '시너지 책쓰기 코칭' 2기 : 박선임, 백명숙, 성은교, 유나연, 임은영, 정경훈

학생님

초판 1쇄 인쇄 2017년 3월 2일 / 초판 1쇄 발행 2017년 3월 11일
지은이 기동환
발행인 유준원
고문 강원국
편집 장선아, 이지현
디자인 이완수
발행처 도서출판 더클
공급처 명문사, 북센
출판신고 제2014-000053호
주소 서울시 금천구 디지털로9길 65 백상스타타워 1차 511호
전화 (02) 6213-3222
팩스 (02) 6111-3919
전자우편 thecleceo@naver.com
홈페이지 www.theclebooks.com

ISBN 979-11-86920-16-9 (03810)

이 도서의 국립중앙도서관 출판예정도서목록(CIP)은 서지정보유통지원시스템 홈페이지(http://seoji.nl.go.kr)와 국가자료공동목록시스템(http://www.nl.go.kr/kolisnet)에서 이용하실 수 있습니다. (CIP제어번호 : 2017004831)